Colección Relatos ardientes

♥ ♥ ♥

Relatos inconfesables de un monje

FAPA EDICIONES

Cubierta por cortesía de
Intermedio Editores, Ltda.
© 2001 FAPA ediciones, S.L.
Art, 88. P.O. BOX 19120.
08041 Barcelona (España).

Diseño: Daniel Roca
Corrección: Francisca González L.

ISBN: 978-0-7394-7264-4
Impreso en U.S.A.

Colección Relatos ardientes

Relatos inconfesables de un monje

Gervaise de Latouche

FAPA EDICIONES

Relatos inconfesables de un monje

No deja de ser asunto grato aunque difícil, sentirse al margen de ciertos placeres mundanos, de las frívolas ocupaciones de la mayoría de los mortales. Es para el alma y el cuerpo un verdadero deleite dejar de sentir el yugo esclavizador de las voluptuosidades que nos encadenan al mundo. Lo que antaño fue objeto de sus más fervientes deseos hoy apenas le produce una enigmática sonrisa, una sonrisa que tiene un punto de serenidad fruto de la feliz privación de lo que otrora fuera el objeto de sus deseos más inconfesables. Cuando evoca su pasado aún hoy se estremece por el horror que en su imaginación ha impreso el recuerdo de los peligros a los que ha logrado escapar: los evoca tan sólo para felicitarse por la seguridad en la que se encuentra y su recuerdo se convierte en un agradable sentimiento, puesto que le permite saborear mejor las mieles del feliz sosiego de sentirse liberado del yugo esclavizador del deseo.

Y ésta es, querido lector, mi actual situación. Se que jamás podré agradecer al Todopoderoso toda su infinita y magnánima misericordia por haberme arrancado de cuajo de las garras del libertinaje. Así es, me hallaba atrapado, contra mi voluntad, en las feroces garras del libertinaje. Es gracias al Todopoderoso que hoy me hallo con fuerza moral suficiente para escribir y describir mis vergonzantes extravíos y edificar con ello a mis hermanos.

Y de mi pobre persona ¿qué les puedo relatar? pues soy el fruto de la incontinencia de los Reverendos Padres Celestinos de la ciudad de R ... Digo de «los Reverendos Padres» porque todos ellos se jactan de haber contribuido a la formación de mi personalidad. Pero, ¿por qué necesito detener mi relato repentinamente?

Mi corazón altera bruscamente su ritmo monótono, tal vez por el temor a que se me reproche que en estas líneas revelo los misterios de la Iglesia. ¡Ah! Superemos esta machacona manía de déjanos llevar por los pesados remordimientos que no son más que un amargo y terrible lastre que nos encadena. No es fácil para un hombre de mi posición y de mi condición relatarles lo que a continuación oirán. Y volviendo a lo que nos ocupa ¿acaso no es sabido de todos que un hombre es un hombre y que los monjes lo son como los primeros? También ellos poseen la capacidad de perpetuar la especie. ¿Por qué se les prohibe entonces? ¡Además, cumplen muy bien con ello!

Sobre mi nacimiento los detalles no me fueron revelados, pero para satisfacer la curiosidad de tan escogido repertorio les diré sin ambages ni rodeos que me crié en casa de un campesino bonachón al que por mucho tiempo tuve por padre mío.

Ambrosio, –éste era el nombre de este buen hombre, trabajaba de jardinero en una quinta, propiedad de los padres celestinos, sita en una aldea remota a algunas leguas de la ciudad; su mujer, Antoñita, fue la persona elegida para servirme de nodriza. Mi ama de cría había alumbrado un hijo que murió en el mismo momento en el que yo vi la luz del día, ayudó a velar el misterio de mi nacimiento. Se enterró en secreto al hijo del jardinero y el de los monjes pasó a sustituirle. Poderoso caballero es Don Dinero.

Yo crecía ajeno a mis orígenes; todo el mundo me consideraba hijo del jardinero, y así lo creía yo también. Sin embargo, me atrevería a decir –modestia aparte– que mis inclinaciones traicionaban mi origen. Realmente desconozco qué influencia divina obra sobre las acciones de los monjes: al parecer la virtud del hábito se transmite a todo lo que tocan. Antoñita era una prueba de ello, pues cabe ser considerada sin lugar a dudas la hembra más ardiente e insaciable que se me ha cruzado en el camino, y eso que se me han cruzado algunas. Era una hembra inmensamente gorda, pero apetitosa, con los ojos negros y la nariz respingona; vivaracha, cariñosa y con un arreglo mayor de lo que se hubiera esperado en una simple campesina. Podría haber sido un excelente recurso para un hombre honesto, imaginaos pues para unos monjes.

Cuando la muy pilla aparecía con su corsé de los domingos, que le ceñía un seno siempre respetado por el sol y dejaba ver un par de orondas tetas que parecían a punto de saltar; sentía en esos momentos que yo no era su hijo. ¡ah! que par de tetas ¡Y qué raro que antaño que me hubiera pasado por alto este detalle!

En lo que refiere a este fuerte inclín de mi persona debo admitir que tenía unas disposiciones muy monacales: guiado exclusivamente por este instinto, muchacha que veía, muchacha a la que abrazaba, y mi mano se aventuraba hasta donde ella me permitiera. Jamás alcanzaré a saber lo que habría sido capaz si no se me hubiera frenado en estos transportes míos.

Cierto día, cuando todos pensaban que estaba en la escuela, decidí quedarme en el cuartucho en el que dormía, un simple tabique lo separaba del dormitorio de Ambrosio, cuya cama estaba, precisamente, apoyada contra el tabique. Yo dormitaba. Aquella tarde el calor era sofocante; estábamos en el corazón mismo del verano. De repente, unas violentas sacudidas que oí dar contra el tabique me despertaron. Me asusté, apenas sabía a qué atribuir el ruido; redoblaba. Apoye mi oído contra el delgado tabique y percibí unos sonidos excitados y temblorosos, unas palabras jadeantes, discontinuas y mal articuladas: –¡Ah!, despacio, Antoñita, no vayas tan rápido. ¡Ah, zorrona! ¡Me haces morir de gusto! ...Rápido... Rápido. ¡Ah, me muero!

Me sorprendí de oír tales exclamaciones, cuya fuerza se me escapaba, volví a sentarme e intenté reponerme de la feroz excitación que comenzó a invadirme. Casi no me atrevía a moverme. Tuve la claridad mental suficiente para pensar en ése mismo instante que si me descubrían, estaba perdido. No sabía qué pensar de todo aquello. Me sentía al borde de un ataque de nervios.

A medida que me iba reponiendo, la curiosidad vino a borrar la inquietud que me embargaba. Volví a oír el mismo ruido y me pareció que Antoñita y un hombre repetían alternativamente las mismas palabras ya pronunciadas. Aplasté mi oído de nuevo contra aquel frío tabique. El ansia por saber lo que ocurría en la habitación contigua se hizo tan intensa, que ahogó cualquiera de mis temores.

Tomé la firme decisión de enterarme de lo que ocurría.

Gustoso habría entrado, así lo creo, en la habitación de Ambrosio con tal de saber lo que allí! pasaba, y eso a pesar de las temibles consecuencias.

Así que hurgue delicadamente con la mano en el tabique buscando un posible agujero y cual no fue mi sorpresa cuando descubrí uno cubierto por una gran imagen religiosa.

La horadé y un haz de luz del cuarto contiguo se posó en mis ojos: ¡Qué espectáculo! Antoñita, en cueros vivos, yacía en el lecho y el padre Policarpo, el procurador del convento que se alojaba en la casa desde hacia algún tiempo, estaba desnudo como ella, haciendo... ¿qué? Pues lo que hacían nuestros primeros padres cuando Dios les ordenó poblar la tierra, pero de una forma menos lúbrica.

Tal visión provocó en mí una mezcla de sorpresa y regocijo y, a la par, una sensación excitante y placentera que me resulta difícil de explicar.

Se que habría dado la vida por estar en el lugar de¡ monje. ¡Cómo le envidiaba al bribón! ¡Cuán inmensa debía ser su felicidad! Un fuego desconocido se deslizaba por mis venas; se me encendía la cara, el corazón me palpitaba violentamente, el aliento se me entrecortaba y la aguda lanza de Venus que tomé con la mano era de una fuerza y de una rigidez capaz de derribar el tabique de haber empujado un poco más.

El padre daba libre curso a su encendida e inextinguible pasión y al retirarse del cuerpo de Antoñita, la dejó expuesta a la voracidad de mis golosas miradas. La gran mujer exhibía unos ojos moribundos y el rostro teñido de encendida grana. Respiraba entrecortadamente; con los brazos colgando, su pecho subía y bajaba con una precipitación vertiginosa. De tanto en tanto se estrechaba el trasero, poniéndose rígida y lanzando grandes suspiros.

Todas las partes de su cuerpo son recorridas con una celeridad inconcebible; no restaba una a la que mi imaginación no bendijera con mil besos de fuego.

Lamía sus pechos, su vientre; pero la parte más deliciosa, aquella de la cual mis ojos no pudieron apartarse una vez se posaron en ella, era... Ya me entendéis. ¡Cuántos encantos encerraba para mí esa concha! ¡Ah, qué colorido tan irisado de matices ! Aunque recubierto de una ligera espuma blanca, no perdía a mis ojos nada de la vistosidad de su color. Por el placer que me causaba su vista adiviné que me hallaba ante el centro mismo de la voluptuosidad más antigua y primitiva, más atávica e irracional de cuantas puedan pensarse. Antoñita mantenía las piernas abiertas exponiéndolo entre las sombras de su pelo negro, espeso, cálido y rizado. Parecía que su lascivia anduviera pareja a mi curiosidad para no ahorrarme ni un ápice de deseo.

De nuevo el monje reemprendió el combate con fuerzas redobladas y renovadas. Así que, volvió a montar a Antoñita con un ardor reiterado, pero las fuerzas traicionaron su decidido coraje y, cansado de picar en vano su montura, le vi retirar el antes agudo instrumento de la concha de Antoñita, extenuado y cabizbajo. La hembra, despechada por la retirada de su macho, se lo cogió y empezó a meneárselo con energía y afición. El monje se agitaba como un demente fuera de sí; parecía no poder soportar ni un segundo más el placer que experimentaba.

Yo escudriñaba cada uno de sus movimientos sin más guía que la naturaleza, sin más instrucción que el ejemplo y, tratando de averiguar la causa de los movimientos convulsivos del monje, la busqué en mí mismo. Me sorprendí al sentir un placer ignorado que se acrecentaba de forma progresiva e imparable y cuya intensidad final fue tal, que caí desplomado de una pieza sobre la cama. La naturaleza se empeñaba en unos esfuerzos increíbles y no había una parte de mi cuerpo que no contribuyera al placer de esa otra que yo acariciaba. Por fin se derramó ese cálido y gelatinoso licor blanco que antes había visto inundar los muslos de Antoñita.

Me recobré del éxtasis y regresé al agujero del tabique; ya había pasado todo: el último ataque había sido asestado, la última partida concluida. Antoñita se estaba vistiendo, el sacerdote ya estaba vestido.

Mucho tiempo tardé en reponer mi espíritu y mi corazón de tal experiencia vivida por mis sentidos y mis ojos y me sentí invadido por una especie de turbación que el ser humano, a veces, experimenta cuando es repentinamente cegado por una luz desconocida, impensada hasta ese momento. Así que iba de sorpresa en sorpresa; los conocimientos que la naturaleza había grabado en mi corazón empezaban a despertarse, las confusión con los que ella misma los había velado empezaban a disiparse. Reconocí la causa de los dispares sentimientos que día a día me asaltaban a la vista de las mujeres. Este paso imperceptible de la calma a la agitación más virulenta e incontenible, de la indiferencia al deseo, había dejado de ser un enigma para mi. ¡Oh!, exclamaba en mi fuero interno, ¡cuán felices eran! Los dos parecían terriblemente enajenados por el goce pues el placer que sentían debía de ser inmenso. Me obsesionaba la idea de esta profunda felicidad. Un silencio profundo seguía a mis exclamaciones, ¡Oh!, me volvía a decir al poco tiempo, ¿nunca seré lo bastante mayor y experimentado como para hacerle lo mismo a una mujer?

Creo que me moriría de placer sobre ella, puesto que solo casi me pierdo en el marasmo inconcebible del placer infinito. No me cabe la menor duda de que eso no es más que una sombra de lo que el padre Policarpo saboreaba con mi madre; pero, ¡qué estúpido soy!, proseguía en mis pensamientos, ¿acaso es necesario ser mayor para saborear de ese placer? ¡Pardiez!, se me antoja que el placer nada tiene que ver con la talla. ¡Se pone uno encima del otro y la cosa debe de ir rodada!

Fue así que se me ocurrió de pronto hacer partícipe de estos descubrimientos a mi querida hermana Suzon, ella me llevaba unos años y era una rubita muy linda, con una de esas expresiones francas que pueden inducirnos a considerarlas necias por aparentar cierta indolencia. Poseía unos hermosos ojos azules, cargados de dulce languidez, que parecían mirar sin ninguna intención, pero cuyo efecto no era menor que el de los ojos brillantes de una morena atrevida y descarada que le lanza a uno miradas apasionadas. ¿Que cuál era la causa? No sabría contestar a ello, pues siempre me he contentado con el sentimiento sin haber intentado jamás profundizar en sus causas. ¿Será tal vez porque una hermosa rubia, con sus lánguidas miradas, parece que os ruega que le entreguéis su corazón, en tanto que la mirada de una morena os arrebata el corazón por la fuerza? La rubia no pide más que un poco de compasión por su fragilidad, y esa forma de pedirla es altamente seductora: creéis darle piedad y en realidad le dais amor. En cambio, la morena exige que seáis vosotros los frágiles, si prometemos que ella va a serlo también. El corazón se enoja no pocas veces con ésta, ¿no es verdad? ¿Qué pensáis de ello, lector?

Confieso, para mi vergüenza, que todavía no se me había ocurrido mirar a Suzon con un sentimiento de concupiscencia, cosa rara en mi caso, pues deseaba a toda muchacha que se me cruzara en el camino. Cierto es que siendo como era la ahijada de la señora de la aldea, que la amaba y la educaba junto a ella, no tenía muchas ocasiones de verla. Hacía un año que residía en el convento; sólo hacía ocho días que había salido, pues su madrina, que debía pasar unos días en el campo, le había dado permiso para visitar a Ambrosio.

Me sentí súbitamente enardecido por el deseo de adoctrinar a mi querida hermana y de gozar con ella los mismos placeres que acababa de descubrir observando al padre Policarpo y Antoñita.

Ya no me sentía el mismo para con ella, Mis ojos devoraban a los mil encantos que hasta ese momento me habían pasado inadvertidas.

Su naciente seno me parecía más blanco que las alas de un ángel, era sedoso, firme, turgente. Ya me veía chupando con fruición esos dos limoncitos que remataban sus pechos; pero lo que sobre todo no olvidaba en la representación de sus encantos era su centro, esa suma de placeres con la que me trazaba imágenes tan estimulantes. Ya excitado por el fuego abrasador que estas ideas derramaban por todo mi cuerpo, salí imparable en búsqueda de Suzon. A aquella hora el sol había abandonado el paisaje, las tinieblas avanzaban sin tregua e imaginaba que, de encontrar a Suzon, merced a esa oscuridad que la noche vertía, satisfacería mis fervorosos deseos.

La distinguí, de lejos, recogiendo flores. No podía ocurrírsele ni por asomo que en esos momentos yo soñaba con recoger la flor más preciosa de su ramito.

Corrí hacia ella; viéndola completamente afanada en una ocupación tan inocente, medité unos segundos antes de darle a conocer mis propósitos. A medida que me aproximaba, la animación de mis pasos se iba amortiguando. Y de repente un súbito temblor parecía reprocharme mis intenciones: me sentía en la obligación de respetar su cándida inocencia; no me retenía más que la incertidumbre de mi éxito.

La abordé, pero la agitación no me permitió pronunciar más que dos palabras seguidas sin retomar aliento.

—¿Qué haces, Suzon? —le pregunté acercándome a ella.

Y, al intentar abrazarla, se zafó riendo descaradamente y respondió: —¡Tonto! ¿No ves que estoy recogiendo flores? —¡Ah! ¡Ah! —continué yo—; ¿coges flores pequeña?

—Sí, sí —me respondió la desvergonzada—; ¿es que no sabes que mañana es el santo de mi madrina?

Esta palabra me causo un gran temblor, pues me inspiró el temor de que Suzon se me escapara. Mi corazón se había acostumbrado (si se me permite utilizar esta expresión) a observarla como a una conquista segura, y la idea de su alejamiento parecía amenazar con la pérdida de un placer que consideraba cierto aun sin haberlo probado.

—¿De modo que no te veré más, Suzon? —le dije tristemente—. Pero, ¿por qué —me respondió—, acaso no voy a volver? Vamos —continuó con un tono encantador—, ayúdame a decorar este ramillete.

Por toda respuesta le arrojé unas flores al rostro; y ella me devolvió el gesto furiosa.

—Ten, Suzon —le dije—, si me echas más, te... ¡Me la pagarás!

A fin de demostrarme que desafiaba mis amenazas, me lanzó un puñado. La timidez me abandonó; no temía siquiera que me vieran. La noche, que impedía la visión a una cierta distancia, favorecía mi audacia: me echo encima de Suzon, ella me rechaza, la abrazo, me da una sonora bofetada, la tiendo en la hierba, trata de levantarse, se lo impido, la tengo estrechamente abrazada y le beso los pechos, se debate: pruebo a meterle la mano bajo la falda, grita como un diablillo enfadado; se defiende con tanta saña que temo no lograr mis propósitos y que todo el mundo se entere de ello.

Me levanté riendo, convencido de que no captaba toda la malicia que yo quería que captase. ¡Cómo me engañaba! –Vamos –le dije–, Suzon, para que veas que no quería hacerte ningún daño, quiero ayudarte levántate.

–SI, si –respondió con una agitación al menos igual que la mía–, vete, mira, viene mi madre y yo...

–¡Ah! Suzon –repuse yo vivamente impidiéndole hablar más–, mi queridísima Suzon, no le digas nada; te daré... ten, ¡todo lo que quieras!

Y de nuevo otro beso fue la garantía de mi palabra; ella se rió y llegó Antoñita. Temía que Suzon me delatara, pero no dijo una palabra; y regresamos juntos a casa para la cena como si nada hubiera pasado.

Parece que desde que el padre Policarpo se alojaba en la casa, se habían dado reiteradas pruebas de la bondad del convento para con el supuesto hijo de Ambrosio: incluso había estrenado traje. A decir verdad, su Reverencia había consultado poco la caridad monacal, pues ésta tiene limites aunque estrechos, que la ternura paterna, que carece de ellos. Con semejante prodigalidad, el buen cura exponía la legitimidad de mi nacimiento a terribles y oscuras sospechas. Pero nuestros feligreses eran gentes de gran corazón y sólo veían lo que se les quería hacer ver. Además, ¿quién habría osado aplicar un ojo aguzado y crítico sobre las razones de la generosidad de los Reverendos Padres? Eran gentes tan buenas, tan buenas; en la aldea se les adoraba, Hacían el bien en los hombres y amaban el honor de las mujeres. Todo el mundo vivía contento. Pero volvamos a mi historia, pues no tardé en vivir una memorable experiencia.

Poseo un aspecto pícaro al tiempo que bondadoso de manera que no provocaba la prevención de las gentes contra mi. Vestía con verdadera pulcritud; tenía unos ojillos maliciosos y largos cabellos ensortijados que caían sobre mis hombros, lo que resaltaba a las mil maravillas el color de mi rostro que, aunque algo verdoso, no dejaba de tener su aquel. Lo que les narro es un testimonio fidedigno que me creo en el deber de rendir a juicio de numerosas personas de gran honestidad y magna virtud, a quienes he ofrecido mi homenaje.

Suzon, como ya he dicho, había hecho un ramillete para la señora de Dinville (su madrina), mujer de un consejero de la ciudad vecina, que había venido a su tierra natal a tomar las aguas para que restablecieran un pecho enfermo por los excesos del vino de Champaña, amen de otras cosillas.

Aquel día Suzon se había acicalado con esmero, lo que aún la hacía más apetecible a mis ojos; me ofrecí a acompañarla. Nos encaminamos hacia el castillo, La dama estaba tomando el fresco. Imaginaos a una señora de estatura mediana, cabello negro, piel blanca, el rostro feo en conjunto, teñido por «el rojo panocha», los ojos vivarachos, sugerentes, y la pechuga característica de las mujeres de mundo. Fue, desde el primer momento, la primera cualidad que ansié en ella: ¡siempre he sentido debilidad por ese par de tetas! ¡Es tan hermoso tenerlas en vuestras manos cuando... ! ¡Oh! perdonen todos tenemos nuestras debilidades.

Tan pronto se percató de nuestra presencia, la señora nos echó una mirada complacida, sin tomarse la molestia de levantarse de su asiento Se hallaba recostada sobre un canapé, una pierna encima, otra en tierra, por todo vestido llevaba un simple faldón blanco, lo bastante corto como para dejar ver una rodilla que permitía adivinar el resto, un pequeño corsé del mismo color, un batín de terciopelo rosa, puesto con fingida negligencia, y tenía la mano bajo la falda. ¡Imaginad con qué intención! Mi imaginación voló por las nubes de repente y mi corazón la fue siguiendo de cerca. A partir de entonces mi destino me condenaría a enamorarme de todas las mujeres que se cruzaran en el camino: los descubrimientos de la víspera habían hecho florecer mis felices tendencias.

–¡Ah! Buenos días; querida niña –dijo la señora de Dinville a Suzon–; ¿vienes a verme? Me traes un ramillete de flores, querida, te estoy muy agradecida, hija mía. ¡Abrázame!

Suzon la abrazó.

–Pero –continuó fijándose en mí–, ¿quién es ese mozalbete tan guapetón? ¿Cómo, queridita, te dejas acompañar por un muchachote así? ¡Qué hermosote!

Bajé la vista; Suzon le respondió que yo era su hermano. Hice una reverencia rápida.

–¿Tu hermano? –prosiguió la señora Dinville–. ¡Vamos! –continuó mirándome y dirigiéndose a mí–: Bésame, hijo mío: Quiero que nos conozcamos.

Y me besó en la boca, sentí una lengüecilla deslizarse entre mis labios y una mano que jugaba con los rizos de mi melena. Yo aún no conocía esta forma de besar; estaba muy excitado. La miré algo cohibido y me tropecé con sus ojos brillantes y encendidos que esperaban atrapar a los míos al vuelo y que me obligaron a volverlos a bajar.

Y me dio otro beso de la misma categoría, tras el cual alcancé la libertad de movimientos, pues no puede decirse que la tuviera abrazado de la forma en que ella me abrazaba. Sin embargo, no estaba nada encorsetado: me parecía que se trataba, todo el tiempo, de su persistente interés en el ritual de amistad que decía querer establecer conmigo. Mi libertad se la debí, sin duda, a la cautela que ella tomó para no excederse en sus caricias en una primera entrevista, lo que podría haber provocado una pésima impresión. De cualquier manera, sus reflexiones no fueron de larga duración, pues retornando la conversación con Suzon, no cesaba de repetir el mismo estribillo: «Suzon, ven a darme un beso querida». Al principio, el respeto me mantuvo a raya.

–¡Y bien! –dijo dirigiéndome de nuevo la palabra–, ¿es que este mocetón no vendrá a besarme?

Avancé y le di un beso en la mejilla; aún no me atrevía a dárselo en la boca. Con todo, mi segundo beso fue más atrevido que el primero. No podemos decir que fuera muy distinto del suyo, salvo por ese algo de mayor fogosidad que ella tuvo al dármelo. La señora repartía sus caricias entre mi hermana y yo, a fin de confundirme acerca del significado de las que a mí me prodigaba. Su sistema me hacía justos honores: yo era más astuto de lo que mi aspecto delataba. Burla burlando, empecé a tomar parte en el juego y ya no me molestaba en esperar el estribillo para meter baza en el asunto. Paso a paso fue destetando a mi hermana y yo me disfruté del privilegio exclusivo de gozar de las bondades de la dama; mi hermana sólo gozaba ya de sus palabras.

Estábamos sobre el canapé: charlábamos, la señora Dinville era una gran charlatana. Suzon estaba a su derecha, yo a su izquierda. Suzon contemplaba el jardín, la señora Dinville me contemplaba a mí; se entretenía en acariciar mis cabellos y despeinarme, pellizcarme la mejilla, en darme palmaditas en ella; yo me divertía mirándola, acariciándola, primero temeroso en el cuello; sus modos desenvueltos me daban cuerda, así que me fue abandonando la vergüenza, ella guardaba silencio, me miraba, reía y me dejaba hacer poco a poco. Mi mano, temblorosa y vacilante al principio se tornó en más osada a medida que encontraba facilidades en el camino de su satisfacción, descendía delicadamente del cuello al pecho, recreándoos en las delicias de unos pechos cuya turgencia les hacía rebotar ligeramente. Mi corazón no cabía de contento; ya tenía en mi mano una de esas cálidas y encantadoras bolas, y la manejaba a voluntad. Ya me disponía a besarlas: poquito a poco se anda el camino. Y creo que habría llevado a buen fin mi propósito cuando un maldito e inesperado personaje, el juez de paz de la aldea, un viejo chocho enviado por algún demonio celoso de mi buena fortuna, entró ruidosamente en la antecámara. La señora Dinville, sobresaltada por el ruido que ese elemento hizo al llegar, me dijo:

—¿Qué haces, picarón?

Retiré la mano precipitadamente; mi vergüenza no resistió a semejante reproche; mi cara se tornó del color de la grana, me creía perdido. La señora Dinville, que se dio cuenta de mi embarazo, me comunicó, con un silbidito y una encantadora sonrisa al mismo tiempo, que su enojo era pura pose, y sus miradas me confirmaron que mi osadía la molestaba menos que la llegada de ese inoportuno juez.

Hizo su aparición el tedioso personaje. Tras de haber tosido, escupido, estornudado, sonado las narices, empezó su discurso, más aburrido aún que su persona. Si sólo hubiéramos sido interrumpidos por ese individuo, el mal habría sido escaso, pero como si ese truhán se hubiera citado con todos los inoportunos de la aldea, éstos acudieron a rendir cuentas a la señora. En mí no cabía mayor ira. Cuando la señora Dinville hubo respondido a todas esas zalamerías, se dirigió a nosotros y nos dijo:

—Hijitos míos, vendréis mañana a mi casa a cenar conmigo: estaremos solos.

Me pareció que simulaba clavar sus ojos en mí cuando pronunció estas últimas palabras. Mi corazón se puso a mil, reconocí, sin miedo a equívoco, que mi amor propio no dejaba de ser halagado con semejante invitación de señora tan principal.

—Vendréis, ¿me comprendes, Suzon? —continuó la señora Dinville—, y traeréis a Saturnino (éste era el nombre de vuestro servidor por aquel entonces).

—Adiós, Saturnino —me dijo mientras me abrazaba tiernamente.

Así por el momento, paz y gloria. Nos fuimos de la casa.

Me sentía en un estado que, de seguro, me habría honrado a los Ojos de la señora de Dinville sin la visita imprevista de esos inoportunos, pero lo que sentía por ella no era exactamente amor, era simplemente el deseo violento de hacer con una mujer lo mismo que había visto hacer al padre Policarpo con Antoñita. El plazo de un día que la señora de Dinville había dispuesto se me antojó eterno. Mientras regresábamos, intenté, de nuevo, revivir con Suzon la aventura de día anterior.

—¡Qué tonta eres, Suzon! —le dije—, ¿así que crees que ayer te quería hacer daño?

—¿Qué querías hacerme entonces? —me respondió—. Darte placer.

—¡Cómo! —exclamó con fingida sorpresa—, ¿me habrías dado mucho placer metiéndome la mano debajo de la falda?

Claro, si quieres te lo demuestro —le dije—, ven conmigo a algún rincón bien apartado.

La observé con desasosiego, buscaba en su rostro las huellas que podían producirle mis palabras, no advertí más que una excitación más intensa que de ordinario,

—¿Dime Suzon, te apetece? —proseguí acariciándola—. Pero —dijo con cara de no entender mi propuesta—, ¿en qué consiste ese placer del que tanto hablas?

—Consiste —respondí—, en la unión de un hombre y una mujer que se abrazan, que se besan, que se estrechan muy fuerte y que estrechándose así caen extenuados por el placer.

Mientras di semejante lección no pude dejar de escrutar atentamente el rostro de mi hermana, estudiaba cada uno de los movimientos que la agitaban, comprobaba la ascensión casi imperceptible de sus deseos; su pecho palpitaba incesante.

—Pero —me dijo con una candidez que me pareció de buen agüero—, mi padre me ha abrazado así más de una vez y no he sentido ese placer del que me hablas.

—Es que —observé yo— no te hacia lo que yo podría hacerte.

—¿Y qué es lo que podrías hacerme? —me preguntó con voz temblorosa.

—Te metería —le respondí con descaro— una cosita entre las piernas que él no osaría meterte.

Se ruborizó y, con su turbación, me permitió continuar en estos términos:

—Mira, Suzon, tienes un agujerito ahí –le dije señalándole el lugar donde yo había visto la raja de Antoñita.

—¿Y quién te ha dicho eso? –me preguntó sin mirarme–. ¿Que quién me lo ha dicho? –repuse yo incómodo por su pregunta–. Es que... todas las mujeres lo tienen.

—¿Y los hombres? –prosiguió.

—Los hombres –le respondí–, tienen un aparato donde vosotras tenéis esa raja. Este aparato se mete en esa raja y eso es lo que da placer a una mujer cuando está con un hombre. ¿Quieres ver mi aparato? Te lo enseñaré a condición de que tú me dejes tocarte la rajita, nos acariciaremos y lo pasaremos en grande.

Suzon estaba del color de la grana. Mis palabras parecían sorprenderla; no osaba permitirme que le metiera la mano bajo la falda, por miedo, me confesó, a que quisiera tomarle el pelo y después se lo contara a todo el mundo. Le aseguré que por nada del mundo se lo diría a nadie; y, para convencerla de esta diferencia que yo le explicaba que habla entre ambos, la quise coger de la mano; la retiró y seguimos charlando hasta casa.

Mientras caminábamos de vuelta a casa me dí cuenta de que la bribonzuela disfrutaba con mis lecciones y de que si volvía a encontrarla recogiendo flores no me sería difícil hacerla callar. Ardía en deseos de pronunciar mi última lección y pasar ya a la práctica.

Pocos minutos después de que entrásemos en casa, vimos llegar al Padre Policarpo; no era difícil adivinar el motivo de su visita y no me cupo ninguna duda cuando su Reverencia anunció con tono desenfadado que venía a cenar en familia. Sabían que Ambrosio estaba de viaje, no era un individuo muy molesto, pero siempre es un alivio librarse de la presencia de un marido, por cómodo que sea, siempre puede acarrear consecuencias no deseadas.

Intuía que aquella tarde tendría lugar el mismo espectáculo que la vez anterior, y de inmediato decidí hacer partícipe a Suzon. Pensaba yo, que una representación de esa índole constituiría un medio excelente para hacer progresos en mis trabajitos con ella; pero no se lo dije. Aplacé la prueba hasta después de la cena, resuelto a no emplear este medio más que en un caso extremo, como una reserva decisiva para una acción.

Por lo visto nuestra presencia no estorbaba para nada en absoluto al monje y a Antoñita: nos consideraban testigos poco peligrosos e ingenuos. Veía la mano del bribón del monje deslizarse secretamente bajo la mesa y hurgar por entre las faldas de Antoñita, quien le sonreía y, según creí advertir, se abría de piernas para facilitar el paso de los libertinos y escurridizos dedos del monje.

Por su parte, Antoñita tenía una mano sobre la mesa, pero la otra estaba debajo y le devolvía, con toda seguridad, al padre los favores que éste le regalaba. Lo cogía todo al vuelo. A un espíritu alerta no se le escapa nada. El reverendo padre parecía estar sumamente contento; Antoñita no le iba a la zaga. No tardaron en entrar en un estado de excitación que hizo fastidiosa nuestra presencia; así nos lo hicieron saber y nos enviaron, a mí y a mi hermana, a dar una vuelta por el jardín. Comprendí que lo único que deseaban en esos momentos era estar solos. Nos levantamos sin demora y les dejamos la posibilidad de hacer algo más que deslizar las manos por debajo de la mesa. Celoso de la felicidad de la que iban a gozar tras nuestra partida, intenté de nuevo seducir a Suzon sin la ayuda del espectáculo que había imaginado ofrecer a sus ojos. La conduje hacia una arboleda cuya frondosidad producía unas sombras que prometían ayudar a la consecución de mis deseos. Se percató de mis intenciones y se negó a seguirme.

—¡Bien, Saturnino —me dijo con ingenuidad—, veo que quieres seguir hablándome de todas esas cosas. Pues, hablemos.

—¿Te gusta que te hable de ello? —le respondí.

Me confesó que sí.

–Juzga tú misma, querida Suzon, qué placer alcanzarías haciendo lo que tan grato te resulta oír si además lo hicieras.

Sin mediar más palabra la cogí de la mano y la estreché fuertemente contra mi pecho.

–Pero, Saturnino –me dijo–, es que... ¿es que me harás daño?

–¿Qué daño podría hacerte? –le contesté, radiante con la idea de no tener más que un frágil obstáculo que abatir–; ninguno, preciosita mía; al contrario.

–Ninguno –repitió ruborizada y con los ojos encendidos–, ¿y si me quedo encinta?

Esta objeción me cogió totalmente desprevenido. No pensaba que Suzon supiese tantas cosas, y confieso que no estaba en condiciones de darle una respuesta satisfactoria.

–¿Cómo encinta? –le dije–, ¿es así cómo las mujeres se quedan encinta?

–Sin duda –me respondió en un tono de seguridad que me asustó.

–¿Y tú cómo lo sabes? –le pregunté, convencido de que ahora le tocaba a ella darme unas cuantas explicaciones razonadas.

Me respondió que me lo explicaría de buen grado, pero a condición de que no hablara de ello a nadie en toda mi vida. –Te tengo por una persona discreta, Saturnino –añadió–, y si alguna vez te atrevieras a abrir la boca sobre lo que te voy a decir, te odiaré a muerte, ¿comprendes?

Le juré no hablar jamás de ello.

–Siéntate aquí –prosiguió, indicándome un rincón sombreado y fresco donde podíamos conversar sin ser oídos.

Le propuse cambiar de sitio pero se negó a seguirme.

Con gran pesar de mi parte, nos refugiamos en el rinconcito elegido por mi hermana; para colmo de desgracias, vi llegar en aquel instante a Ambrosio. Perdidas las esperanzas por esta vez, decidí hacerme a la situación. El ansia que había prendido en mi por oír las palabras de Suzon distraía en buena medida mi decepción.

Antes de empezar con sus magistrales lecciones, Suzon me exigió nuevas garantías de discreción: se las di bajo juramento. Vacilaba, no se atrevía aún a hablar; tanto le insistí, que al final habló.

Bien, de acuerdo, Saturnino, te creo; escucha, vas a quedarte de piedra cuando veas todo lo que sé, te lo advierto. Hace poco tratabas de instruirme, pero yo sé, realmente, más que tú; vas a comprobarlo enseguida, pero no creas que por ello he gozado menos con lo que tú me has contado: siempre solaza oír hablar de lo placentero.

–¡Vaya! Hablas como un oráculo, ya se nota que has estado en un convento. ¡Cómo forma eso a una muchacha! –si, es cierto, me respondió; si no hubiera estado allí, ignoraría muchas cosas.

–¡Dime ya todo lo que sabes! –exclamó–; me muero de ganas por oírlo.

–No hace mucho tiempo –prosiguió Suzon–, durante una noche muy oscura, dormía yo profundamente; me desperté al sentir que un cuerpo desnudo se deslizaba entre mis sábanas; quise gritar, pero me taparon la boca y me dijeron: «No grites, no quiero hacerte ningún daño. ¿Es que no reconoces a la hermana Mónica»? Esta hermana había tomado los hábitos no hacía mucho y era mi mejor amiga.

–¡Jesús! –exclamé–, querida, ¿por qué vienes a verme a la cama?

–¡Es que te quiero! –me respondió abrazándome.

–¿Y por qué vienes a verme desnuda? –Es que hace mucho calor e incluso el camisón me resulta molesto, además hay una tormenta tremenda, he oído unos truenos atroces que me dan miedo. ¿No los oyes? ¡Ay!, abrázame bien fuerte, corazoncito mío, vamos a taparnos con la sábana para no ver esos horribles relámpagos. Tengo mucho miedo, querida Suzon!

Yo, que no temo a las tormentas, trataba de calmar a la hermana que, mientras tanto, había pasado su muslo derecho por entre mis muslos y el izquierdo por encima de mi cuerpo y, en esta postura, se frotaba contra mi muslo derecho y me metía la lengua en la boca dándome al mismo tiempo ligeros toquecitos en las nalgas. Después de haberse movido un poco de esa forma, me pareció que mi muslo estaba mojado. Lanzaba suspiros: yo imaginaba que era por el miedo a los truenos que se producía esa humedad. La compadecía, a la pobre; pero pronto retomó su postura normal. Pensé que iba a quedarse dormida y me dispuse a hacer lo mismo, cuando me dijo: ¿Duermes, Suzon? Le respondí que no, pero que no tardaría en hacerlo.

–¿Quieres acaso, –replicó–, dejarme morir de miedo? Sí, me moriré si tú te vuelves a dormir, dame la mano, amiga mía, dámela.

Y le dejé coger la mano, que de inmediato llevó a su rajita, pidiéndome que la acariciara con el dedo en lo más abultado y saliente de ese lugar. Lo hice por nuestra amistad. Esperaba que me dijera que acabara, pero no decía nada, sólo se abría de piernas y respiraba jadeante, lanzando de cuando en cuando suspiros y moviendo el trasero. Pensé que se sentía mal, y dejé de menear el dedito con el que le tocaba su mojada rajita.

–¡Ay, Suzon! –me dijo con voz entrecortada y jadeante–, termina de una vez, por favor. Yo continué. ¡Ay! –gritó agitándose violentamente y abrazándome muy fuerte–, rápido, rápido, querida mía. ¡Ay! ¡Ay!, más rápido, ¡ay que me muero de gusto!

Mientras me decía todo esto se ponía muy rígida y volví a sentir que mi mano se mojaba de un cálido líquido; al final, lanzó un gran suspiro y quedó inmóvil, extática. Te aseguro, Saturnino, que estaba muy extrañada de todo lo que me hizo hacerle.

–¿Y tú no te excitabas? –le pregunté yo.

–¡Pues claro que sí! –me respondió–, me daba cuenta de que le causaba muchísimo placer todo lo que yo le iba haciendo, y que si ella me hiciera lo mismo en mi rajita, disfrutaría igual que ella; pero no me atreví a pedírselo. Con tales explicaciones, me había puesto en un estado muy embarazoso. Deseaba algo, mas no osaba confesarle a Suzon lo deseaba en ese instante: volví a poner con agrado la mano sobre su raja; tomé la suya, que llevé e hice reposar en diferentes partes de mi cuerpo, sin atreverme, a pesar de todo, a ponerla donde más ganas tenía de ponerla. Mi hermana, que sabia mejor que yo cuáles eran mis deseos, y que muy maliciosa me dejó hacer sin decir nada, se apiadó de mi azoramiento Y me dijo, abrazándome: «Me doy perfecta cuenta, picaruelo, de lo que deseas». Al pronto se acostó sobre mi, y yo la recibí en mis brazos.

Me dijo que le separara un poco los muslos, y yo la obedecí de inmediato. Deslizó su dedo por donde el mío le había proporcionado tanto placer: repetía conmigo las mismas lecciones que ella misma me había dado. Sentía que el placer subía gradualmente, acrecentándose a cada caricia de su dedo. Al mismo tiempo, yo le ofrecía servicios idénticos. Me cogió con decisión por las nalgas y me aconsejó que las moviera a medida que ella empujara. ¡Ah! ¡Qué placer me proporcionó con ese jueguecito! Pero eran sólo un preludio de las que debían seguirles. Del gozo casi perdí la conciencia ; desfallecí en los brazos de mi amada Mónica. Ella estaba en el mismo estado: permanecíamos inmóviles. Al cabo de unos instantes me recobré de mi éxtasis. Estaba tan mojada como la hermana, y no sabiendo a qué atribuir este fenómeno, creí que era sangre lo que había derramado; pero no estaba asustada, al contrario: el placer que acababa de experimentar me había enajenado de tal forma, que sólo ansiaba volver a empezar. Se lo dije a Mónica, me respondió que estaba extenuada y que debíamos esperar un poco. No pudo contenerme y me abalancé sobre ella, como ella se había abalanzado sobre mí, Entrelacé mis muslos con los suyos y, frotándome como ella lo había hecho, me perdí en el éxtasis.

–Pues bien –me dijo la hermana, encantada con los testimonios que yo le ofrecía del placer que experimentaba–, ¿estás enfadada, Suzon, porque he venido a tu cama? Apuesto cualquier cosa a que me detestas por haberte inportunado.

—No, de ningún modo –le respondí–, ¡sabes muy bien que es todo lo contrario! ¿Qué podría daros a cambio de una noche tan maravillosa?

—Picaruela –me dijo besándome ardorosamente–, venga, no te pido nada más: ¿acaso no he gozado tanto como tú? ¡Ah! ¡Cómo me has hecho gozar! Dime, querida Suzon, no me ocultes nada: ¿nunca habías hecho algo como lo que acabamos de hacer?

Le contesté que no.

—¡Cómo! –replicó–, ¿nunca te habías tocado la fresita?

La interrumpí para preguntarle el significado de esta palabra.

—¡Es esa rajita –me respondió que nos hemos tocado hace un momento! ¿Así que no sabías nada de todo eso aún?

Suzon, a tu edad, yo sabía muchas más cosas que tú. –A decir verdad –admití –, me guardaba muy mucho de gustar ese placer. Conocéis al Padre Jerónimo, nuestro confesor: pues es él quien me lo ha impedido. Nunca se olvida de preguntarme si cometo algún acto impuro con mis compañeras y, sobre todo, me prohibe hacerlo conmigo misma, Siempre había sido tan tontita como para darle crédito; pero ahora sé a qué atenerme con respecto a esas prohibiciones.

—¿Y cómo te explica –me preguntó Mónica– esos actos impuros que te prohibe hacer con tu propio cuerpo?

—Me dice –le respondí yo–, por ejemplo que consiste en meterse un dedo donde sabéis, en mirarse los muslos, el pecho. Me pregunta también si utilizo el espejo para otra cosa que no sea el rostro. Me hace muchas preguntas de esa guisa.

—¡Ah! ¡El viejo cerdo! –exclamó Mónica–, mucho me temo que no cesará en ese juego.

—Me habéis hecho reparar, le dije a la hermana, en ciertos gestos que suele hacer mientras estamos en el confesionario y que yo siempre había tomado, inocente de mí, por signos de amistad. ¡El viejo verde! Ahora entiendo los motivos.

—¿Qué gestos son esos? —me preguntó con gran interés la hermana.

—Por ejemplo —le respondí—, besarme en la boca diciéndome que me acerque para que pueda oírme mejor, mirarme fijamente los senos cuando le hablo, ponerme la mano encima, y prohibirme enseñar ni siquiera un poquito con el pretexto de que es un signo de coquetería; y, a pesar de sus sermones, no me quita la mano de encima, que juguetea por mi escote y a veces me roza hasta las mismas tetas. Después cuando retira la mano es para llevarla de inmediato bajo la sotana y moverla con unas suaves y rítmicas sacudidas. Entonces me oprime contra sus rodillas; me acerca con su mano derecha, suspira y parece como si se le nublara la vista me besa más fuerte de lo acostumbrado, tartamudea; me requiebra y me amonesta al mismo tiempo. Recuerdo que un día, al sacar la mano de debajo de la sotana para darme la absolución, me roció todo el cuello y el escote con un liquido cálido y pringoso. Lo enjugué a toda prisa con un pañuelo que ya no pude utilizar más debido a su acartonamiento; El padre, azorado, me dijo que era el sudor que goteaba de sus dedos. ¿Qué pensáis de eso, querida Mónica?

—Ahora mismo te digo lo que era eso —me respondió—. ¡El viejo pecador! Pero, debes saber, Suzon —continuó—, que lo que me has contado es algo que también me ha sucedido.

—¡Cómo! —dije—, ¿os ha hecho algo de verdad a vos también?

—No, claro —me respondió—, porque le odio con toda mi alma y ya no acudo a él desde que soy una mujer instruida.

—¿Entonces cómo sabéis —le pregunté— lo que os haría?

—Te lo voy a decir —me respondió la hermana—; pero sé discreta, porque de lo contrario me llevarás a la ruina querida Suzon.

–No sé, Saturnino –prosiguió mi hermana tras un breve silencio–, si debo revelarte todo lo que me contó.

Sentía el ferviente deseo de conocer la historia, cuyo preludio me había fascinado, me proveyó de una sarta de expresiones que me ayudaron a vencer la irresolución de Suzon. Alterné las caricias con las promesas, y conseguí persuadirla. Es la hermana Mónica quien va a hablar por boca de Suzon.

Por muy arrebatado que pueda antojársele al lector el carácter de esta hermana, temo que aún quede por debajo de la realidad. Pues mis palabras desvirtúan la realidad en gran medida, se hacen insuficientes para reproducir con fidelidad la realidad.

Historia de Sor Mónica

No somos capaces de desvelar los recónditos secretos de nuestro corazón. Desde nuestro nacimiento estamos seducidas por el embrujo del
placer, es a este al que le ofrecemos nuestro primer sentimiento. Envidio
a aquéllas cuyo temperamento no se espanta al oír los consejos austeros
de la razón. Pues, encuentran auxilio a las inclinaciones de su corazón.
¿Pero son dignas de envidia.? No. Que gocen del fruto de su prudencia:
les cuesta un alto precio, pues su precio es la ignorancia absoluta del placer. Y después de todo, ¿qué es esa prudencia que nos mortifica los oídos
y adormece el espíritu? Una quimera, una palabra consagrada a expresar
la cautividad a la que se condena a nuestro bello sexo. Los elogios que se
hacen de esta virtud imaginaria son para nosotras lo que para un niño
un sonajero que le divierte impidiéndole gritar. Puede ser útil para ciertas viejas a las que la edad ha vuelto insensibles al placer, o más bien a
las que el retiro se lo obstaculiza, creen compensar la imposibilidad de
gozarlo con los cuadros repulsivos que de él nos presentan. Dejemos que
hablen, Suzon. Cuando se es joven, el único dueño a tener en cuenta es
el corazón: sólo a él debemos escucharle, sólo a sus consejos hay que
someterse. Como bien te imaginas tales creencias justifican mi reclusión
en un convento, lo hicieron a fin de impedir que diera rienda suelta a
mis vitales impulsos; mas seria precisamente en este lugar destinado a
sofocar mis pasiones donde encontraría el medio de satisfacerlas.

A pesar de mi juventud, no podía mitigar mi temor frente a la resolución que había tomado mi madre de refugiarse en ese convento, en calidad de Dama Pensionaria, tras la muerte de su cuarto marido. Aunque era incapaz de discernir el motivo de mi miedo, presentía que eso me iba a hacer desgraciada. Con el paso de los años se me fue iluminando el espíritu y pude elucidar la causa de mi aversión al claustro. Notaba que me faltaba algo, quizá la vista de un hombre. Pronto pasé del sufrimiento en estado puro por esta falta a la reflexión sobre los motivos que la hacían tan dolorosa. Pues en definitiva ¿qué es un hombre?, me decía. ¿Es una clase de criatura diferente a nosotras? ¿Cuál es la causa de la agitación que provoca su vista en mi corazón? ¿Talvez se trata de que un rostro es más agradable que otro? No; los mayores o menores encantos que les descubro sólo me provocan mayor o menor emoción. El impulso de mi corazón es algo independiente de estos encantos, puesto que hasta el Padre Jerónimo, con todo lo desagradable que es, me estimula cuando estoy cerca de él. En consecuencia, basta con ser hombre para producirme esta turbación; pero, ¿por qué la produce? Aunque soy incapaz de conocer la respuesta más racional a mi pregunta, mi corazón adivinaba la causa que tendía a exacerbar los vínculos allí donde mi ignorancia la reducía. ¡Esfuerzos vanos! A medida que adquiría nuevos conocimientos, tropezaba con nuevos obstáculos.

En ocasiones me gustaba encerrarme en mi habitación , a refugio de las miradas inquisidoras, me gustaba dar libre curso a mis cavilaciones en la intimidad. Era una manera de sentirme acompañada por aquellas gentes que pasaban por mi imaginación, un mero entretenimiento inocente que venía a ser el sucedáneo: venían a ser el sucedáneo de las compañías que más me complacían. ¿Qué veía en ellas? Mujeres; y cuando estaba sola, no pensaba más que en hombres. Inquiría a mi corazón, me preguntaba por la razón de lo que sentía, me desnudaba por completo, me examinaba con una sensación de voluptuosidad; clavaba miradas embelesadas en cada parte de mi cuerpo, me ardía la sangre, separaba mis muslos, suspiraba; en mi imaginación febril se representaba a un hombre misterioso al cual yo tendía los brazos para estrecharle; mi coñito se consumía devorado por un fuego prodigioso: nunca había osado tocar siquiera con un dedo esa tierna parte de mi cuerpo. Asustada siempre por la idea de dañarme, sufría la más viva desazón sin atreverme a apaciguarla. En más de una ocasión es estuve a punto de sucumbir; pero aterrada por este deseo, me rozaba con la punta del dedo y lo retiraba con precipitación; me lo cubría con el cuenco de la mano, lo oprimía, Por fin, decidí entregarme al placer, empujé para adentro, me estremecí con el dolor para ser sólo sensible al goce: fue tan intenso que pensé que iba a expirar. Y lo hice de nuevo, tan apenas me recobré del extasiante placer, me entraron ganas de volver a empezar y lo hice tantas veces como mis fuerzas me lo permitieron.

El descubrimiento que acababa de realizar: había arrojado la luz sobre mi alma. Consideré que puesto que mi dedo me había proporcionado unos momentos tan deliciosos, era menester que los hombres hicieran con nosotras lo que yo habla hecho conmigo misma y que tuvieran por lo tanto una especie de dedo y que lo metieran donde yo había metido el mío, pues de lo que no dudaba era de que éste era el verdadero sendero del placer. Alcanzado ese grado de clarividencia, me sentí presa del ferviente deseo de ver en un hombre el original de la cosa con cuya copia tanto me había gozado.

Mi intuición me decía que también la vista hace nacer en el corazón de los hombres algo recíproco, de modo que añadí a mis encantos naturales esas menudas exquisiteces que el deseo de gustar ha inventado para este objeto. Fruncir los labios con gracia, sonreír misteriosamente, echar miradas picaronas, inteligentes, tímidas, amorosas, indiferentes; fingir arreglarse o desarreglarse el pañuelo para atraer los ojos hacia el pecho; precipitar con destreza los movimientos, agacharse, levantarse, dominaba estos insignificantes trucos hasta el último escalón de la coquetería; me ejercitaba continuamente, pero aquí era una sabiduría fútil. Mi corazón suspiraba por la presencia de un ser que apreciara mis conocimientos y que me permitiera valorar el efecto que producían sobre él.

No me cansaba de aguardar frente a la reja que la felicidad me enviara lo que después de tanto tiempo anhelaba en vano: trababa amistad con todas las pensionarias cuyos hermanos solían venir a visitarlas. Cuando se llamaba a alguna de ellas, pasaba yo frente al locutorio, y no sin artificio; si era a mí a quien llamaban, acudía a toda prisa y puedo afirmar que los que allí encontraba no me miraban con indiferencia.

En una ocasión, mientras observaba a un joven apuesto cuyos ojos negros y vivos me devolvían con creces mis miradas, me sentí invadida por una sensación delicada y estimulante a la vez, superior incluso al placer habitual que la presencia de los hombres me producía, llamó con agrado mi atención. La tenacidad de mis miradas, que al principio había recibido con harta indiferencia, animó las suyas y sus ojos ya no se apartaron de mí. No era nada tímido, o mejor, era de un atrevimiento que, amen de sus encantos físicos, le aseguraba el éxito con toda mujer a la que deseara agasajar. Aprovechaba los momentos en los que su hermana volvía la vista para hacerme unas señas que yo no comprendía, pero que mi pequeña vanidad se empeñaba en simular que comprendía y que toleraba mediante unas sonrisas que le enardecieron al extremo de impulsarle a ejecutar unos gestos cuyo significado esta vez no se me escapó. Se llevó la mano a la entrepierna: enrojecí y, aun a mi pesar, seguí con el rabillo del ojo sus movimientos. La volvía a sacar haciendo una señal con la mano izquierda que apoyó sobre el puño de la derecha; no había que ser una lumbrera para adivinar lo que quería decir: que lo que acababa de tocar era de esa largura. Su acción me hizo sentirme como en una brasa. El pudor me aconsejaba alejarme, pero el pudor es una débil resistencia cuando el corazón es tan astuto como para traicionar. Me retenía el amor. Bajé tímidamente la vista, pero en breve la dirigí hacia Verland (éste era su nombre) unos ojos que yo quería mostrar enojados, más que el placer inundaba de calidez. Y así lo sintió; se dio cuenta de que me faltaban fuerzas para desaprobar su conducta y aprovechó mi debilidad: para no escatimarme nada del deseo cuyo ardor delataban sus miradas, juntó el primer dedo de su mano izquierda con el pulgar Y colocó en esa especie de redondel el segundo dedo de la mano derecha. Lo metía y lo sacaba sin parar lanzando suspiros. El muy bribón me recordaba con ello situaciones demasiado agradables como para permitir que le manifestára el enojo que merecía esa nueva falta de respeto. Suzon, ¡cuán satisfecha me sentía de él!, Y cómo imaginaba que aún lo hubiera estado de habernos encontrado solos; pero, incluso de haberlo estado, una reja infranqueable habría impedido nuestro goce.

Enseguida llamaron a mi compañera; nos comunicó que saldría por un momento para ver lo que querían de ella y que no tardaría en volver.

Su hermano aprovechó la ocasión para explicarse más abiertamente; no hiló grandes discursos, pero lo que dijo fue bien significativo. Aunque no pueda decirse que sus cumplidos fueran del todo educados, me parecieron tan sinceros que siempre los recuerdo con agrado. Las mujeres, nos sentimos más elogiadas con un discurso guiado por la sinceridad y la naturaleza que, por poco comedidas que sean las palabras, que con esas galanterías sosas que el corazón desaprueba y que el viento se lleva. Retornemos a los cumplidos de Veriand; pues ahí van: «No tenemos tiempo que perder; sois encantadora, estoy más trempado que un carmelita, me muero de ganas de meterosla; indicadme la forma de entrar en vuestro convento». Confundida por sus palabras y la forma en que las dijo, me quedé como petrificada, así que tuvo tiempo de colar la mano a través de la reja, cogerme de las tetas, de manoseármelas y de decirme un par de dulzuras más de la misma guisa, antes de que pudiera recobrarme; cuando al fin me repuse, no me hallaba en condiciones de refrenar sus caricias, de modo que su hermana nos sorprendió en esta situación. Formó un escándalo de órdago, me cubrió de improperios, cubrió de injurias a su hermano y nunca más le volví a ver.

Mi aventura, o mejor dicho desventura, no tardó en andar en boca de todo el convento: susurraban, me observaban, reían, hablaban, se burlaban. Yo intentaba no inquietarme demasiado, con tal de que las murmuraciones se limitaran a las pensionarias. Estaba segura de la discreción de las bonitas, aunque no demasiado de la de las feas. Las que estaban persuadidas de que jamás gozarían de una ocasión de pecar semejante, clamaban al cielo por el escándalo; primero en voz baja, después en voz alta y tan alta que las viejas acabaron por enterarse. Si al principio me había reído, más tarde temblaba, y no me faltaban motivos para temblar, porque las Madres discretas se reunieron en asamblea para deliberar sobre lo qué hacer con una desvergonzada que consentía que le palparan las tetas, crimen irremisible a los ojos de esa tribu de mogigatas, que a lo sumo sólo tenían un par de ubres fláccidas que echarse sobre los hombros. Legaron a la conclusión de que el caso revestía gravedad, soy consciente de que de haberse tratado de otra pupila, me habrían expulsado, ¡Y ojalá hubiera sido así! Pero yo les iba a aportar una buena dote y mi madre les había prometido que tomaría el velo, por lo tanto transigieron conmigo y la resolución del consejo fue limitarse a un castigo aleccionador. Se pusieron manos a la obra: prevenida, me había acantonado en mi pequeña habitación; forzaron la puerta y se precipitaron sobre mí. Mordí a una, arañé a otra, repartí puntapiés, rasgué faldones, arranqué tocas; en fin, que me defendí tan encarnizadamente del ataque que mis enemigos renunciaron a su empresa. No sacaron de su acción más que la vergüenza de la impotencia de seis Madres para reducir a una muchacha. En esos momentos, me sentía una leona.

El enojo y la preocupación por mi defensa me habían absorbido por completo hasta ese momento. No pensaba más que en desmentir a las viejas, pero poco a poco todo lo que al principio era en mí bravura y vigor fue dando paso a una sensación de súbita debilidad. La cólera cedía por momentos ante la desesperación. Menos ufana por el contento de sentirme segura que convencida de la afrenta que habían intentado causarme, por mi rostro corrían ríos de lágrimas. Me preguntaba, cómo podría seguir conviviendo con ellas en el convento, se burlarán de mí; pensé, pocas me compadecerán, todas me rechazarán. ¡Ay!, heme aquí cubierta de pena; tengo que ver a mi madre, proseguía yo. Tal vez me reprenda, pero tal vez me perdone también. Un muchacho me ha... Y bien, ¿dónde está el gran crimen? ¿Acaso yo consentí? Éstos eran mis razonamientos. Finalmente decidí ir a verla.

Me levanté de la cama con este propósito y habría perseverado en él si al abrir la puerta no hubiera tropezado con algo que rodó y me hizo caer.

Intenté ver qué era lo que me había hecho caer: lo busqué y lo encontré. Imagínate lo que sentí al ver un objeto que representaba al natural lo que mi imaginación se había representado sola tan a menudo: ¡una polla! Sí, una hermosa polla, mi querida Suzon, es decir el miembro de un hombre, lo que se llama el miembro por excelencia porque es el rey de todos los otros. ¡Oh! ¡Y cómo se hace merecedor de este nombre! Si las mujeres le rindieran la justicia que se merece, le llamarían su dios. Si, es un dios; el coño es su dominio, el placer su elemento, se introduce hasta los pliegues más recónditos, penetra, se hunde, goza y hace gozar; nace, vive, muere y renace al instante para volver a hacer gozar. Pero no se le puede atribuir todo el mérito. Sometido a las leyes de la imaginación y la vista, sin las mujeres no sería nada; la polla es blanda, fláccida, pequeña y colgona cuando se encuentra inactiva, es decir, cuando los hombres no se sienten excitados por la vista de una mujer o por las imágenes que se le ocurren, mas ofrezcámonos a sus ojos, descubramos el seno, mostrémosles las tetas, luzcamos una cintura fina, una pierna desnuda –las gracias de un rostro hermoso no siempre son imprescindibles un detalle les conmueve, su imaginación se pone en funcionamiento; se ejercita, penetra en cada rincón de nuestro cuerpo, atribuye firmeza a unas tetas que a menudo carecen de ella, se representa un seno apetecible, un vientre blanco y terso, unos muslos redondos o alargados pero macizos, duros, un conejo rollizo y juguetón, un coño, en fin, envuelto por el cálido y húmedo encanto de la juventud: piensan entonces en el sinfín de delicias inefables que saborearían si pudieran meter allí su polla. Es entonces, en ese momento cuando la polla se va poniendo gruesa, se alarga y se endurece; más gruesa, más larga, más dura, para dar más placer a la mujer, para llenarla más, frotar bien fuerte, entrar más adentro, para enloquecerla con sus dulzores y embestidas.

Pero volvamos a la sorpresa que me causó la vista de este aparato ingenioso que acababa de recoger.

Realmente, había oído mil veces hablar del consolador, –sabía que era un instrumento con el que las buenas Madres se consolaban de los rigores del celibato. Este aparato simula la polla y está destinado a ejecutar sus mismas funciones; es hueca y se halla repleta de leche caliente para hacer el parecido con la natural más perfecto y suplir con leche artificial lo que la naturaleza hace verter del miembro del hombre. Cuando las que lo utilizan sienten, mediante un frotamiento reiterado, la necesidad de algo más intenso, sueltan un pequeño resorte: la leche sale entonces y las inunda. Es así cómo engañan sus deseos, con una impostura cuyo deleite les hace olvidar el de la realidad.

Imaginé que la agitación habría hecho caer esta preciosa joya del bolsillo de una de las Madres que habían venido a atacarme. Aunque no poseía la certeza absoluta de que se tratara de un consolador, así me lo decía la intuición. Esta visión disipó todo mi sufrimiento: no pensaba más que en lo que sostenía entre mis manos y ansiaba probarlo sin dilación alguna. Aunque a decir verdad, su grosura me asustaba, al mismo tiempo que me excitaba. El ardor que me inspiraba su visión fue sustituyendo poco a poco a mis temores. Se me antojaba una dulce calidez, precursora de placer. Un dulce gozo se expandió por todo mi cuerpo; temblaba por la emoción de que era presa y lanzaba profundos suspiros.

Tenía miedo a que sorprendieran de manera intempestiva y por ello cerré bien la puerta y, sin apartar los ojos del consolador, me desvestí con el ansia de una joven recién casada que va a acostarse en el lecho nupcial. La idea del secreto que debía presidir los placeres con los que me iba a embriagar les confería una cierta picardía que se me antojaba altamente seductora. Me sentía, al tumbarme sobre la cama, como si estuviera con mi amado marido, solo que mi amado era mi consolador; pero, ¡cuál fue mi dolor al comprobar que no podía hacerlo entrar! Desesperada, emprendí unos esfuerzos que hubieran podido desgarrar mi pobre coñito, Lo entreabría y lo apoyaba sobre el cosa que me producía un sufrimiento insoportable. Pero no me rendí. Di en que pensar, que si me untaba con vaselina, eso me ayudaría a abrirme con mayor facilidad. Me unté; sangraba, y la sangre se mezcló con la vaselina y lo que el frenesí en que me hallaba hacía verter de mi coño con un placer enajenador, habrían, sin lugar a dudas, abierto el pasaje si el instrumento no hubiera sido de una grosura inverosímil.

Lindaba con el placer sin poder alcanzarlo del todo. Estaba fuera de mí, redoblaba mi empeño, pero en vano: el maldito consolador rebotaba y no dejaba en mí más que dolor. ¡Ay!, exclamaba para mí, si Veriand estuviera junto a mí, mal que el suyo fuera incluso más gordo, no me faltaría el valor para soportarlo. Sé que lo soportaría, pondría todo de mi parte, aun cuando me desgarrara, aun cuando me diera la muerte; moriría contenta con tal de que me la hubiera metido. Y si me provocaba dolor, proseguía yo, ¡cuán dulce trocarían este dolor los placeres que él me daría! Le tendría entre mis brazos, con ellos le estrecharía, y también él me abrazaría; clavaría en su boca de labios carnosos, besos apasionados, los prodigaría sobre sus ojos, sus hermosos ojos negros llenos de viveza e inteligencia. Me tendría entre sus brazos, ¡qué regalo! Respondería a mis envites con otros aún más estéticos. ¡Le convertiría en mi ídolo! Sí, lo adoraría: un hermoso muchacho como él bien lo merece. Nuestras almas permanecerían unidas para siempre. ¡Oh!, mi querido Verland, ¿por qué no puedes estar junto a mí? ¡Qué delicias! El amor inventaría por nosotros, me abandonaría a todo lo que la pasión me inspirara. Mas, ¡cuitada de mí!, me decía, ¿a qué embaucarme con tales sueños? Estoy sola, Ay triste de mí!, y para colmo de sufrimiento, tengo en mis manos una sombra, una mera apariencia de placer, lo que sirve para acrecentar mi desesperación, lo que excita mi deseo sin poderlo saciar. Maldito instrumento, continué maldiciendo al consolador y lanzándolo con rabia en medio de la habitación, vete a satisfacer a alguna desgraciada a la que puedas servir; a mí no podrás satisfacerme jamás: ¡mi dedo vale mil veces más que tú! Y recurrí de inmediato a este recurso. Fue tan grande mi placer que olvidé los que me había prometido tener con el consolador. Me desplomé de puro agotamiento y me dormí pensando en Veriand.

Al día siguiente me desperté a las once de la mañana, era muy tarde; el sueño había calmado mi arrebato amoroso, pero no había cambiado mi resolución de salir del convento. Las mismas razones que me habían empujado a tomar esta decisión me apremiaban con mayor energía a ejecutarla sin mayor dilación. Desde ese mismo momento me sentí libre y el primer uso que hice de esta libertad fue la de tranquilizarme en la cama hasta las once de la mañana. Por más que sonó la campana, yo no aparecí. Me congratulaba y complacía al pensar en el disgusto que debía estar provocando a las viejas con mi desobediencia. Al fin me levanté, me vestí y, para dar muestras de fidelidad a mi propósito, empecé a desgarrar mi velo de novicia que contemplaba como el estigma de mi servidumbre.

Fue entonces cuando sentí mi corazón liberado del esclavizador peso de la dictadura monacal: se me antojaba que por fin había salvado el obstáculo que hasta entonces se oponía a mi libertad. Pero como iba y venía sin parar por mi habitación, me volvió a saltar a la vista el consolador. Fijé en él mi atención, se me antojaba a la luz del día diferente y me quedé como petrificada; cesé en mi paseo, lo cogí, me senté en la cama y me entretuve en examinarlo. ¡Cuán hermoso es!, me decía, sosteniéndo-

lo entre mis manos con fruición, ¡qué largo es!, ¡qué suave! Es una lásti-
ma que sea tan grueso: apenas lo puedo empuñar con mi mano. Pero es
inútil, jamás me será de utilidad, proseguía alzándome las faldas e intentando otra vez hacerlo entrar en ese lugar aún vivamente dolorido por los
esfuerzos de la víspera. Tropecé con las mismas dificultades y tuve que
volver a contentarme con el dedo. Me afanaba con toda la febrilidad que
la vista del instrumento había desatado en mí y llegué a tal extremo que
las fuerzas empezaron a fallarme, Noté que me iba haciendo insensible al
placer por mucho empeño que ponía en proporcionármelo; mi mano se
movía maquinalmente y mi corazón no sentía nada. Este hastío momen-
táneo hizo nacer en mi espíritu una idea que me agradó sobremanera.

Voy a salir, me dije, ya no tengo por qué esconderme ante nadie; sal-
gamos con todo bullicio: iré a llevarle este instrumento a la Madre
Superiora y a ver cómo soporta su visión. »Camino de los aposentos de
la Superiora, me regocijaba por anticipado con la confusión que le produciría al mostrarle el consolador. La encontré sola; la abordé sin rodeos.

—Señora, le dije, no ignoro que después de lo ocurrido ayer y de la
vejación a la que quisisteis someterme, no puedo permanecer con dignidad en vuestro convento (me miró escrutadoramente y su silencio fue
una invitación a que continuase con mis razones). Pero, señora, no
hubiera sido necesario llegar a tales extremos, si es que incurrí en alguna falta —posibilidad que no contemplo, puesto que realmente fui víctima de la violencia del indigno Veriand y eso me impidió la libertad de
defenderme—, podríais haberos contentado con una reprimenda; aun sin
merecerla, la habría sufrido en silencio y sin queja, dado que las apariencias hablaban contra mi.

—Una reprimenda, señorita —me respondió entonces secamente—,
¡una reprimenda por una acción como la vuestra! Merecéis un castigo
ejemplar, si no fuera por las consideraciones que guardamos para con
vuestra señora madre, que es una santa mujer.

—Entiendo... quiere decir que pagaría yo por todas las culpables —la
interrumpí con viveza—, ¡y vos tenéis en vuestro convento quienes hacen
otro tipo de cosas!

–¡Qué dice! ¿otro tipo de cosas?, decidme sus nombres y las castigaré.

–No os puedo decir sus nombres –responda–, pero sé que entre las que ayer me ultrajaron se encontraba una de ellas.

–¡Oh! –exclamó–, ¡eso ya es demasiado descaro! ¡Eso es llevar la vileza de corazón y el desarreglo del alma hasta el extremo! ¡Por todos los santos! ¡Sumar la calumnia a las acciones más depravadas, acusar a las más santas de nuestras Madres, ejemplos de virtud, de castidad, de penitencia, ¡qué vileza!

Dejé con toda calma que terminara con sus improperios y, tan pronto vi que cesaba, saqué fríamente el consolador del bolsillo y se lo mostré:

–He aquí –le dije en el mismo tono– una prueba de su santidad, de su virtud, de su castidad, de su virginidad ¡o al menos de la de una de ellas!

Observé los cambios que se produjeron en el rostro de la respetada superiora: me miraba, enrojecía, el corazón no le cabía en el pecho; estos testimonios involuntarios no me dejaron lugar a dudas acerca de quién era la propietaria del consolador. Y en ese instante tuve la clarividencia suficiente, el certero pálpito de que el consolador pertenecía a la Madre Superiora, me acabé de convencer de ello por la premura y la agitación con la que me lo quitó de las manos.

–¡Ay!, querida niña –me dijo (la restitución que acababa de hacerle me habla reconciliado con ella)–, ¡ay!, querida muchachita, ¿es posible que en una casa donde se dan tantos ejemplos de edificación, se encuentren almas tan abandonadas de la mano del Señor como para hacer uso de semejante aparato? ¡Ay! ¡Dios mío! Estoy fuera de mis casillas por su revelación. Pero hija mía, guardad silencio sobre vuestro encuentro: de lo contrarío, me vería obligada a emplear la severidad, a iniciar ciertas pesquisas, y yo prefiero escoger el camino de la tolerancia resignada. Mas, hija mía, ¿por qué queréis abandonarnos? Vamos, volved a vuestra habitación, yo lo arreglaré todo; diré que todo ha sido un error, Contad conmigo, con mi afecto, porque es mucho lo que os amo. Podéis tener plena seguridad que nadie os mirará mal, a pesar de todo lo que ha sucedido. Soy consciente, de que, en efecto, no habéis merecido ese trato: no incurristeis en culpa alguna. Hablaré con tacto a la señorita Veriand. Jesús, ¡Dios mío! –continuó observando al mismo tiempo el consolador–, ¡cuán maligno es el demonio! Creo, el Cielo me perdone, que es una imitación a esa cosa que, echen... ¡oh!, ¡qué repugnante inmundicia!

En el momento en el que la superiora terminaba de pronunciar estas palabras, entró mi madre.

–¿Qué me acaban de contar, señora? –le dijo a la superiora; y dirigiéndose a mí de inmediato–: ¿Y vos, señorita, por qué os encontráis aquí?

Algo debía responder, pero estaba desconcertada y bajé la vista, con el rostro encendido; siguió apremiándome y yo apenas si balbuceé unas palabras.

La superiora tomó la palabra por mí; lo hizo con picardía. Si bien no admitió del todo lo erróneo de su actitud para conmigo, tampoco me acusó lo bastante como para que pudiera creerse que fuera culpable. Mi aventura pasó por una imprudencia sin relación ninguna con los asuntos del corazón, por la violencia de un joven osado al que se habían jurado solemnemente no permitirle jamás acercarse a la reja y la conclusión final fue que la señorita Veriand era la única en presentar una conducta de veras condenable, por haber armado tanto alboroto de un suceso que debería haber callado, sino por el honor de su hermano, al menos por el mío, que, sin embargo, se encontraba exento de toda mácula, pues, afirmó la superiora, ella misma se encargaría de resarcirme del ultraje sufrido. No tenía motivo de queja: había salido inmaculada de un lance en el que, aun sin intención de ofenderme, se me podría haber culpado; naturalmente Yo simulaba mi total desacuerdo con esta última posibilidad. Mi madre se apiadó de mí y me habló con una dulzura que me conmovedora.

Se dice que las almas elegidas para la gloria de Dios saben sacar provecho de todo. Como mi madre y la superiora habían tenido la desgracia de escandalizar al prójimo, sin intención de ello, era necesario, en función de dicho provecho, que me reconciliara con el Padre Todo misericordioso y que me acercase al sacramento de la penintencia. A este respecto, me hicieron un rosario de exhortaciones que yo paso por alto, con tal de no aburrirte.

Mi madre casi había conseguido convencerrme con sus sermones. Con todo, la tensión que se apoderó de mi a la hora de confesarme con el Padre Jerónimo debería haberme hecho dudar de mi conversión; mas bien era el sacerdote quien me arrancaba la confesión que yo quien la hacía de manera voluntaria. Sólo Dios sabe cuánto placer sentía ese viejo pecador–. Nunca le había contado tantas cosas, y eso que no llegó a saberlo todo; no creo yo que Dios pueda considerar un gran crimen que una pobre muchacha busque la forma de aliviarse cuando le urge la necesidad.

No se ha creado a si misma, por lo tanto no es culpa suya si siente ciertos deseos o si se enamora, ¿Y lo es acaso que no tenga un marido para contentarla? Busca, pues, la forma de apaciguar los deseos que la devoran, el fuego que la abrasa; y se sirve de los medios que la naturaleza le ofrece: nada menos criminal.

A pesar de los secretillos que había revelado en confesión al Padre Jerónimo, no permití que escudriñara en mí demasiado. ¿Por arrepentimiento tal vez? No. La verdadera causa era la negativa del sacerdote a darme la absolución y mi temor a que su lengua diera pábulo a nuevas calumnias contra mi persona. Estaba profundamente desolada, consternada. Además me asustaba la idea de que mis enemigos leyeran en mi rostro la confusión y lo consideraran un segundo triunfo sobre mí. Fui hasta un reclinatorio frente al altar; apaciguada por el llanto me quedé adormecida. Tuve el sueño más maravilloso del mundo: soñé que estaba con Veriand, que me tenía entre sus brazos y me estrechaba con sus potentes brazos y me apretaba con sus dos muslos. Yo separaba los míos y me prestaba a todos sus movimientos. Me acariciaba las tetas con deleite, las apretaba, las besaba. El exceso de placer me despertó, y me di cuenta de que estaba realmente entre los brazos de un hombre!

Absorta aún en las delicias de mi sueño, creí por un momento que la felicidad trocaba la ilusión en realidad. Creí estar con mi amante: ¡No era él! Alguien me abrazaba por la espalda. Abrí los ojos un instante y los volví a cerrar para seguir concentrada en ese tierno placer, quizás tuve falta de coraje para mirar a quien me lo estaba dando. Me sentí inundada por un líquido cálido y algo duro y ardiente me penetraba entre las piernas, comencé a oír suspiros. También yo suspiraba y sentí al mismo tiempo que un licor similar se derramaba de todas y cada una de las partes de mi cuerpo en medio de un éxtasis maravilloso mezclándose con ese otro que fluía por segunda vez; caí inerte sobre el reclinatorio.

Este placer que, si durara eternamente, sería mil veces más fuerte que el que esperamos en el cielo; este placer terminó demasiado pronto. Ante la idea de encontrarme sola, en medio de la noche, me asaltó el temor, pues estaba en el fondo de una iglesia: ¿y con quién? No lo sabia y no me atrevía a descubrirlo. Apenas osaba moverme. Cerraba los ojos; temblaba. Mi temblor se acrecentó cuando noté que me estrechaban la mano, que me la besaban. Tanto me la estrechaba que era incapaz de retirarla; me habían abandonado las fuerzas, el valor, pero me recobré al oír que alguien me hablaba al oído en voz baja:

–No temáis nada; ¡soy yo!

Esta voz, que me resultaba vagamente conocida, me restituyó la valentía y sacando fuerzas de flaqueza me atreví a preguntarle quién era, pero no osé mirarle a la cara:

–Soy Martín –me respondió–, el mozo del Padre Jerónimo.

Tras oír la respuesta desapareció en mí cualquier posible sombra de temor. Alcé la vista y lo reconocí de inmediato. Martín era un muchacho rubio, vivaracho, lindo y afectuoso, ¡Ah! ¡Cómo era Martín! También él temblaba mientras esperaba mi respuesta, para saber a qué atenerse, si a salir corriendo o empezar a hacerme el amor otra vez. Guardé silencio, pero le miré con frescura, con un par de ojos todavía húmedos por el placer que acababa de experimentar. Se dio cuenta de que mi mirada no era precisamente un signo de enojo; se me arrojó a los brazos con pasión y así lo recibí de nuevo yo también, sin parar mientes en que podían acudir al lugar y sorprendernos juntos si alguien se percataba de mi ausencia... ¿Qué diría entonces? El amor lo justifica todo. Olvidando el respeto debido al altar sobre cuyos escalones nos encontrábamos, Martín me inclinó ligeramente, me alzó las faldas, recorriendo con sus manos todo mi cuerpo; con tanta fogosidad como él, llevé yo las mis manos a su polla. ¡Por primera vez en mi vida tenía el placer de tocar una polla de verdad!

¡Ah! ¡Qué hermosa era la suya! No muy gruesa, pero larga, justo lo que a mi me hacía falta. ¡Qué fuego! ¡Qué ansia se deslizó al pronto por todo mi cuerpo! En silencio estrechaba con mis manos esta adorada polla, la miraba, la acariciaba, la acercaba a mis pechos, me la llevaba a la boca, la chupaba.

¡Me la hubiera tragado! Martín tenía el dedo en mi coño, lo movía lentamente, lo sacaba, lo volvía a meter, renovando de este modo mi placer a cada instante; me besaba, me lamía el vientre, el coño, los muslos, que sólo abandonaba para llevar sus labios ardientes a mi seno. En un santiamén me vi recubierta de besos. Fuera de mis posibilidades estaba contener estos ataques de placer. Me dejé caer, atrayéndole con suavidad hacia mi ayudada por mi brazo derecho que le abrazaba amorosamente. Le besé en la boca, mientras que con mi mano izquierda trataba de introducirme el objeto de todos mis deseos y alcanzar así un gozo más profundo. Un arrebato igual al mío hizo que el muchacho se recostara sobre mí: empezó a empujar.

Detente –le dije con una voz entrecortada por los suspiros– detente, querido Martín; no vayas tan rápido, quedémonos así por un momento.

Poco después me hallaba deslizándome bajo su cuerpo y, separando los muslos coloqué mis piernas a la altura de sus lomos. Mis muslos contra los suyos, mi vientre contra el suyo, mi pecho contra su pecho, mi boca contra su boca: nuestras lenguas se entrelazaban, nuestros suspiros se confundían. ¡Oh!, Suzon, ¡qué maravillosa postura! No pensaba en ninguna otra cosa, ni siquiera en el placer que sentía, embebecido como estaba en sentirlo, La impaciencia me impidió que siguiera gozando. Hice un movimiento, Martín también, y nuestra felicidad se derrumbó; pero antes de perderla aún pudimos comprobar cuán inmensa era: parecía que hubiera acumulado todos sus rasgos más seductores y estimulantes a fin de extenuarnos. Quedamos extáticos, sin sentido, abriendo los ojos tan sólo para abrazarnos de nuevo; el placer resistía a nuestro empeño.

Bien, creo que ha llegado la hora –prosiguió Mónica–, de decirte, Suzon, en qué consiste ese agua bendita con la que un día el Padre Jerónimo te roció mientras te daba la absolución.

Cuando Martín se retiró de mis brazos, mi primer gesto fue el de palparme allí donde había recibido las embestidas más intensas. El interior, el exterior, todo estaba inundado de ese licor cuya efusión me había causado tanto placer, pero había perdido su calidez y ya estaba frío como el hielo. Era como una especie de leche. Se llama así a una materia blanca y espesa que sale de la polla o del coño cuando uno se corre. Después de ese gustoso frotamiento, que es sólo un preludio, uno llega a un punto culminante. A eso se llama correrse.

Como puedes imaginar, después de tanto ejercicio amoroso, mi aspecto no era de lo más presentable; me compuse lo mejor que pude y le pregunté a Martín la hora que era.

–¡Oh, no es muy tarde –me respondió–: no hace mucho que ha sonado la campana de la cena.

–No me apetece ir al comedor –dije–; me quiero acostar temprano. Pero antes de separarnos, querido Martín, hazme saber qué azar te trajo hasta aquí y cómo te atreviste a venir...

–¡Oh! ¡Caramba! No me falta a mí el valor precisamente. Pos así fue: vine a adornar la iglesia, porque, como sabéis, mañana es día de fiesta, y os distinguí en la sombra. ¡Anda! –me dije para mí mirándoos–, una señorita que reza al buen Dios. ¡Demonios!, se me hizo a mi, debe haberle dado fuerte la devoción para que venga a estas horas a la iglesia mientras que toas las otras están manducando. Pero, ¿no estará dormida? –esto es lo que yo me dije, al ver que no dabais ni pie ni patada–. ¡Pardiez! –así me lo parecía–. Vamos a ver –Y me acerqué muy finamente y vi que dormíais. Sentéme allí un poquico para guaitaros y mientras el corazón me hacía tic tac, tic tac...

Y el diablo que es mu ladino: «Martín, me sopló al oído, mira qué bocado, pan comido, hijo mío; si dejas escapar la ocasión, no volverás a encontrar otra semejante; quien no corre vuela, Martín». ¡Pardiez! y volé en seguida. Os alcé la gorguera con cuidado y vi dos teticas bien blancas. ¡Demonios! Metí la mano encima y aluego la bajé muy despacio; Y aluego, viendo que dormíais como un tronco, tenía ganas de hacer otra cosa y la hice porque tuve el valor de arremangaros el refajo por detrás y aluego empujé; y aluego ya sabéis el resto.

A pesar de la tosquedad de su lenguaje, el tono de ingenuidad con que Martín se explicaba me atraía.

–¡Bien! –le dije–, querido amigo, ¿has gozado mucho? –¡Oh! ¡Pardiez! –me respondió abrazándome–, he gozado tanto que estoy dispuesto a empezar otra vez si me dais permiso.

–No, no por ahora –le dije–; podrían percatarse de algo. Pero tú tienes la llave de la iglesia; si quierés venir mañana a medianoche, deja la puerta abierta: acudiré a reunirme contigo, ¿entiendes bien Martín?

–¡Diantre! Eso sí que está muy bien dicho; lo vamos a pasar en grande. A esa hora no tendremos espías.

Le aseguré que me encontraría allí. El buen juicio me ayudó a resistir a mis apetitos y a los ruegos de Martín que quería hacerlo una vez más, decía, antes de separarnos. Mi negativa le hubiera sumido en una gran tristeza de no haberle consolado con la esperanza del futuro encuentro al día siguiente. Nos abrazamos, regresé al convento y entré, radiante, en mi habitación sin ser advertida.

Adivinarás sin esfuerzo que me moría de impaciencia por examinarme y comprobar cuál era mi estado tras los asaltos que había padecido. Sufría un vivo escozor y apenas si podía caminar. Me hice con una lámpara, corrí bien las cortinas a fin de no ser vista por nadie y me senté en una silla: apoyé una pierna sobre la cama y la otra en el suelo. Me examiné. ¡Y cuál fue mi sorpresa al ver mis labios antes frescos y carnosos ahora blandos y marchitos! Los pelitos que los recubrían, todavía húmedos, formaban de trecho en trecho unos buclecitos. El interior se hallaba inflamado, de un color rojo grana y se hallaba extremadamente sensible. Un vehemente deseo me impulsaba a tocarlo de nuevo, pero tan pronto lo hacia, el dolor me obligaba a retirarme de inmediato. Me froté contra el brazo del sillón cubriéndolo de las marcas de la virilidad de Martín. El placer luchaba contra la fatiga; los ojos me pesaban y se fueron cerrando poco a poco. Me acosté y me dormí con un sueño interrumpido tan sólo por las agradables visiones que evocaban las delicias recién vividas.

Al día siguiente no se produjo ni un solo comentario sobre mi ausencia; la consideraron como un resto de encono por el trato sufrido, Mi porte orgulloso confirmó esta idea. Asistí con las otras al oficio; todas mis compañeras comulgaron, siendo yo la única excepción, y a decir verdad me importaba un comino no poder comulgar. El amor vence los prejuicios, La presencia de mi amante, al que vi merodeando por la iglesia, me compensaba con creces. Más de una de mis compañeras hubiera renunciado a gusto al alimento espiritual por ese mismo precio,

Dirigía yo más miradas amorosas a mi amante que devotas al altar. A los ojos de una mujer de mundo, Martín no habría sido más que un chiquillo; a los míos era el Amor personificado: tenía juventud, gracia, era buen intencionado. Sus méritos ocultos reparaban, a mi juicio, su negligencia exterior. Con todo, noté que ese día se había arreglado con más delicadeza y se daba un tono más distinguido que de costumbre. Me sentí satisfecha de su cambio, atribuyéndolo más al deseo de complacerme que al honor de la fiesta que se celebraba. Nada escapa a los ojos de una amante. Le vi escrutar a las pensionarias tratando de descubrirme. Personalmente prefería que no me reconociese y procuraba ocultarme a sus ojos. No obstante, me habría sentido ofendida si él no se hubiera tomado esa vana molestia. Y es que, estaba enamorada hasta las entrañas. Aguardaba la noche con impaciencia para cumplir con la palabra que le había dado.

Sonaron las doce campanadas. Por fin llegó la tan deseada noche ¡Ah! ¡Cuál no seria mi desconcierto en aquellos momentos!, atravesé el corredor temblorosa y, a pesar de saber que todo el mundo dormía, creía ver los ojos de todas clavados sobre mí. Por única luz tenía la de mi amor. ¡Ay!, me decía, cruzando la oscuridad a tientas, si Martín falta a su palabra, me moriré de pena y de ansias. Acudió a la cita tan amoroso, tan impaciente, como yo puntual. Sólo estaba cubierta por una ropa muy ligera; hacía calor y la víspera me había dado cuenta de que faldas, corpiños, chales, todo eso resultaba muy molesto. Tan pronto como oí que se abría la puerta, un estremecimiento de alegría me cortó la respiración. No recuperé la palabra más que para llamar a mi querido Martín en voz baja. Me esperaba; corrió a mis brazos, me besó y yo le devolví caricia por caricia. Permanecimos largo tiempo estrechamente abrazados. Recobrados de nuestros primeros momentos de contento, empezamos a experimentar recíprocamente sensaciones más intensas. Llevé mi mano a la fuente de mi gozo; él llevó la suya adonde yo esperaba con ansiedad que lo hiciera. Pronto se halló en situación de poder colmarla. Se desnudó e hizo un lecho con sus ropas; me tendí sobre ellas. Así fue que nuestros placeres se prolongaron durante dos horas con una rapidez y una facilidad de movimientos que no daban ni tiempo a desearlos; nos entregábamos a ellos como si no los hubiéramos gustado nunca o como si no los fuéramos a gustar más. En medio del incendio del placer no se piensa en la forma de perpetuarlo. El ardor de Martín ya no respondía al mío; me aparté de sus brazos para retirarme.

Nuestra dicha no duró mucho más de un mes, y ahora comprendo, con el tiempo, que sentía la necesidad de adarme un descanso. Aunque no se viera colmado por el placer de ver a mi amante, lo estaba por el de pensar en él y por las gratas ideas que preparaban mi corazón para las delicias que aportaba su presencia. ¡Ah!, ¡cuán rápidamente transcurrieron las noches pasadas entre sus brazos y cuán interminables fueron las que le siguieron!

Agudiza tus sentidos, mi querida Suzon, y renueva tus promesas de serme siempre fiel y no revelar jamás un secreto que no he confiado a nadie más que a ti. ¡Ah!, Suzon, qué peligroso es escuchar demasiado el lado lisonjero de la vida y entregarse a él sin contemplaciones. Si los placeres que había experimentado fueron deliciosos, la inquietud que les siguió me los hizo pagar bien caros. ¡Cuánto me arrepentí de haberme enamorado hasta ese punto! Las consecuencias de mi debilidad aparecían en mi imaginación con unos terribles y siniestros perfiles. Lloraba, gemía... En una palabra, me había dado cuenta de que mis reglas habían dejado de aparecer : ocho días de retraso. No cabía en mi sorpresa por su interrupción, habiendo oído en más de una ocasión que era un signo de preñez. Me dolía el corazón y me mareaba con frecuencia. ¡Ay!, exclamaba, ¡y bien cierto que es eso, desgraciada! ¡Ay de mí, estoy, no cabe la menor duda, estoy encinta! Torrentes de lágrimas ponían fin a mis lastimeras reflexiones. Mas sufrí únicamente el dolor de saberme en desgracia pero no de sus consecuencias. Martín, que había sido el causante, fue quien me libró de ellas. Mi preñez no me impedía acudir a las citas; inquieta, temblorosa, pero más enamorada que nunca. Las cadenas triunfantes del placer me arrastraban. ¿Qué más podía sucederme? Mi desdicha había llegado al paroxismo. Deseaba que el causante de mi cuita me aliviase de tan terrible peso.

En uno de nuestros encuentros amorosos, tras haber recibido de Martín los testimonios habituales de un amor que no se debilitaba, notó que yo suspiraba pesarosamente, que mi mano, sostenida entre las suyas, temblaba (colmada mi pasión, el desasosiego venía a sustituir en mi corazón el puesto que había ocupado hasta hacía unos instantes el amor); me preguntó entonces con apremio qué era lo que me ocurría y se lamentó con ternura del misterio en que yo envolvía mis penas.

–¡Ay! Martín –le dije–, mi buen Martín, ¡has labrado mi desgracia! No digo que mi amor por ti no sea el mismo, pero yo albergo en mi vientre un fruto que me desespera: estoy encinta.

Semejante noticia le asombró y su extrañeza se trocó después en un profundo ensimismamiento; yo no sabía qué pensar.

En esas crueles circunstancias Martín era mi única esperanza: parecía calibrar el asunto, ¿qué debía tramar? Tal vez, me decía abatida por su silencio, tal vez se acobarde y decida huir, como tantos hombres lo hicieran en semejantes circunstancias. Me abandonará a mi desesperación. ¡Ay!, ¡que se quede junto a mi! Prefiero perder la vida amándole que morir a falta de detestarle. No pude contener mis lágrimas, se dio cuenta. Se mostró tan tierno, tan fiel como pérfido temiera yo verle, mientras yo le creía absorto en cavilaciones para deshacerse de mi amor, estaba pensando en la forma de enjugar mi llanto y liberarme de su causa. Me anunció abrazándome con cariño que ya había dado con el remedio. La alegría que me provocó esta promesa no igualó sin embargo a la de reconocer que me había equivocado en mis sospechas: me había devuelto la vida. Fascinada por la seguridad que me daba, sentí curiosidad por saber cuál era el medio que pretendía emplear para zafarme de mi problema. Me reveló que iba a darme a beber un filtro que se hallaba en la habitación de su amo y del que ya antes la Madre Angélica había hecho uso. Le pregunté qué clase de relación unía al Padre Jerónimo con esa monja. La odiaba mortalmente, puesto que había sido una de las que más enojo aparentaran contra mi el día de la historia de la reja. Siempre la había considerado como a una desalmada: ¡Cuánto me engañaba! Su severidad se correspondía con la destreza que poseía para disfrazar su carácter vicioso y para velar bajo las apariencias de la virtud sus tendencias depravadas; el Padre Jerónimo y ella tenían un apaño muy bien arreglado. Martín me reveló los pormenores del asunto. Me dijo que hojeando en los papeles de su amo, había descubierto una carta donde la monja le indicaba que por haberle escuchado demasiado se encontraba en el mismo apuro en el que yo estaba por haber escuchado demasiado a Martín; que el padre le había enviado un frasquito de ese liquido que yo misma debería utilizar; que, por lo visto, cuando la monja recibió este presente, daba saltos de alegría; que había hallado una segunda carta donde la madre le anunciaba a su amante que el licor había obrado maravillas, que ya no había obstáculo alguno y que, por lo tanto, podían volver a empezar en cualquier momento.

—Querido amigo —le dije a Martín—, tráeme mañana mismo ésa pócima: ¡me librarás de toda mi aflicción!

Pero llevando más lejos mis propósitos, se me ocurrió que las cartas serían el medio perfecto para ejecutar mi venganza y dar rienda suelta a la aversión que sentía contra la Madre Angélica: le pedí a Martín que me las entregara y él, no adivinando cuán cara nos iba a costar la imprudencia, creyó ofrecerme así una prueba más de su amor y me las trajo al día siguiente, junto con lo que me había prometido.

Conseguí ésas cartas pero tuve que contener mi paciencia y esperar a que transcurriera la noche y se hiciera de día para leer tan comprometedoras misivas pues sabía que la luz en mi habitación, a tan altas horas de la noche, podía delatarme en caso de que alguien la advirtiera. Y el día llegó y por fin leí las cartas: estaban escritas en un estilo apasionado y tan poco comedido como lo eran el aspecto y las maneras de quien las había escrito. Describía sus sentimientos amorosos con unos trazos, unas expresiones de las que nunca la hubiera creído capaz; en fin, no se tomaba la molestia de reprimirse porque contaba con que el Padre Jerónimo tendría la precaución (sugerencia que ella misma le hacía) de quemar estas cartas. Pero él había tenido la imprudencia de no hacerlo y yo disfrutaba de mi victoria, Medité largo tiempo sobre el modo de utilizarlas para arruinar a mi detestada enemiga. Devolvérselas personalmente a la superiora, hubiera sido un paso sumamente arriesgado: habría tenido que dar alguna explicación acerca de la forma en que habían llegado hasta mis manos. Hacérselas entregar a otra persona, habría sido exponerla a unas preguntas de las que tal vez no habría salido airosa y que tal vez le llevarían a su perdición. Escogí un tercer camino: dejarlas yo misma en la puerta de la superiora cuando supiera que ésta iba a entrar. El proyecto me convenció del todo. Que imprudente fui... debería haber quemado esas cartas. ¡Cuantas penas me reportó!. Yo misma, con mi actitud y sin saberlo, alejaba a mi amante. Si me hubiera pasado esta idea por las mientes, habría extinguido mi resentimiento. ¿Podían compararse esas migajas de placer que me ofrecía la venganza con el dolor por la pérdida de Martín? No, Martín me resultaba mil veces más precioso que lo que tanto me complacía en esos momentos. Decidí llevar a cabo mi plan cuando las circunstancias no presentaran ningún peligro. No tardó en llegar la ocasión. Empecé por pedirle a Martín una tregua de ocho días; aún no había expirado el plazo, pero creí que ya era hora de ejecutar mi acariciado proyecto: el efecto fue el esperado. La superiora encontró las cartas, mandó llamar a la Madre Angélica, le mostró el cuerpo del delito. Quizá la reflexión habría determinado el perdón, si un crimen tan atroz como la rivalidad, que las mujeres no perdonan jamás, no hubiera hecho necesario el castigo para alivio de la superiora; porque, aunque no careciera, como ya te he dicho, de esos recursos capaces de dulcificar los aguijones de la carne, es bien difícil, cuando el apetito es grande, contentarse con un alimento artificial que engaña el hambre sin saciarla.

Pues al fin y al cabo un consolador no es más que un artilugio para adormecer la pasión; su sueño no es de larga duración; se despierta y, furioso por el engaño al que se le ha sometido, no puede amansarse más que con la realidad.

Parece ser que este era el caso de la superiora. Una muchacha que ha adquirido ciertos conocimientos sobre los misterios del amor ve claro en una injuria. Si los objetos le faltan, la imaginación los suple; se irrita por las dificultades con las que tropieza y a veces va más lejos que la realidad misma; pero con un hombre del carácter del Padre Jerónimo y una mujer del carácter de la superiora temía menos el pensar demasiado que el pensar lo suficiente. No me cabía la menor duda de que el director compartía secretamente sus consuelos espirituales entre ella y la Madre Angélica. El inmediato castigo de ésta corroboró mis sospechas; expió en una celda oscura el pecado de haberme disgustado y de haber arrebatado a la superiora el corazón de un amante.

No tardé en arrepentirme pronto de mi estupidez; había acariciado la idea de que la tormenta sólo caería sobre la cabeza de la Madre Angélica: no se limitó a ella. El padre, ultrajado por verse separado de su amante, sospechó que Martín era el causante de su desgracia: lo sacrificó a su resentimiento y lo despidió. Nunca más le he vuelto a ver.

Querida Suzon, Esta es mi historia, prosiguió la hermana Mónica; no te insisto más en lo que la discreción por la cuenta que a ti también te trae: has compartido mis placeres. ¡Qué poco he gozado desde que perdí a mi querido amante! ¡Si estuviera aquí me lo comería a besos!

No podía evitar excitarse con el recuerdo de Martín, continuó Suzon con su propia historia (su relato había producido en mí el mismo efecto). Nos sentíamos dispuestas, casi de forma inconsciente, a no aplazar hasta el día siguiente la ceremonia de despedida de un querido amante: yo le recordaba a Mónica las delicias vividas con él y, engañada por mis caricias, olvidaba que era una muchacha y me prodigaba los mismos nombres que le prodigaba a él en sus arrebatos. ¡Yo era un ángel, su Dios! No me pasaba por la cabeza que pudiera experimentarse un placer mayor que el que yo experimentaba en esos momentos: Mónica, entre mis brazos, colmaba todos mis deseos. La imaginación siempre va más lejos que la propia realidad. Mónica, suspirando por el gozo que le había causado el pelo de Martín cuando lo sintió contra sus nalgas, aquella noche del reclinatorio, me prometió resarcirme al menos con otro tanto si yo aceptaba aumentar su placer de esa forma. Acepté. Se tendió boca abajo, sobre el vientre; yo llevaba la parte activa. A fuerza de acariciarnos, tanta fue nuestra animación que acabamos la una con la cabeza en lo alto de la cama y la otra con la cabeza a los pies.

Uno de mis muslos se apoyaba sobre el vientre de Mónica, el otro sobre sus nalgas: mi vientre y mis nalgas se hallaban también entre sus muslos. Estrechamente abrazadas, nos frotábamos mutuamente suspirando y contorneándonos sin cesar. Las fuentes de nuestro placer, inundadas por la continua efusión que, no teniendo otra salida, pasaba de la una a la otra, eran como dos reservas de delicias, en las que agonizábamos sumidas en la inconsciencia y de donde sólo resucitábamos en el extremo del gozo. El agotamiento puso fin a nuestros transportes. Encantadas la una con la otra, prometimos volvernos a encontrar al día siguiente. Mónica acudió puntual y, en esta segunda cita, me inició en otros muchos y sabios placeres. Finalmente, se han visto interrumpidas esas noches de ensueño por mi salida del convento para venir aquí.

El relato, animado discurso de Suzon había producido tal efecto sobre mi imaginación que no había podido evitar mostrar ciertos signos de sensibilidad al respecto. Aunque había fingido ocultar las lágrimas que su historia me arrancaba, el alivio de derramarlas, las miradas apasionadas que posaba sobre ella mientras las derramaba, me había delatado; se había percatado de mi agitación, pero, radiante por haber causado en mí la impresión que deseaba causar, disimulaba sagazmente su vanidad y, por una política mal entendida, luchaba aún contra esa dulce inclinación que habitaba en su alma y que habría de coronar el ardor que ella me inspiraba. Sus palabras me habían asombrado y, en la misma medida, dado esperanzas. Estos cuadros tan coloristas y estimulantes de las situaciones y sentimientos de la hermana Mónica, en una circunstancia más que similar a la que nosotros nos encontrábamos, sólo podía ser fruto de un espíritu iluminado. No había evitado nada, ni siquiera las sensaciones que le producían los placeres amorosos. No se había pasado ni una palabra por alto: no había disfrazado nada. Si nos hubiéramos encontrado en la arboleda, no habría podido pronunciar una palabra que yo no hubiera aprovechado y no habría descrito ni una sola imagen que yo no hubiera representado al natural. Pero no había cedido en ir hasta allí, ¿qué debía pensar, pues, de esta resistencia? ¿Cómo interpretarla después de lo que acababa de contarme? Señor mío, cuántas tribulaciones me habría ahorrado si hubiera podido leer en su corazón. Firmemente decidido a llevar a cabo mi empresa, pero atento a un exceso de precipitación que hubiera podido espantar a Suzon, decidí tomar ciertas medidas. Rastreé, en la misma historia que me había contado, las armas para combatirla. Empecé por preguntarle, en un tono de aparente indiferencia, si sor Mónica era una mujer bella.

–Me respondió que era más hermosa que un ángel, y una muchacha que posee atractivos está siempre segura de gustar. Su cuerpo es fino y de formas airosas, su piel de una blancura y suavidad perfectas, tiene el seno más bello del universo, el rostro un poco pálido, pero bonito y con unos rasgos que los más lindos colores le hubieran convenido menos que esa palidez, sus ojos son negros y rasgados, pero, contrariamente a la mayoría de las morenas, posee una mirada lánguida, aunque con el suficiente fuego para juzgar que serían brillantes.

–Me haces sentir mucha compasión por ella –le dije a Suzon–. Labrará su desgracia su pasión por los hombres.

–Quítate eso de la cabeza –respondió Suzon–, como ya te he dicho, hace poco tiempo que ha tomado los hábitos y eso por complacer a su madre. Aún no ha profesado, no ha hecho los votos; su suerte depende de la muerte de un hermano a quien su madre idolatra. Corre el peligro de no vivir mucho más tiempo de lo que le desea su hermana. Ha sido gravemente herido en un burdel de París...

–¡Un burdel! ¿Qué es eso? –le pregunté a Suzon, presintiendo tal vez lo que habría de ocurrirme un día.

–Bien, te lo voy a explicar –me respondió–, según las palabras de la hermana Mónica, que conoce todo lo que se relaciona con sus inclinaciones. Un burdel no es otra cosa que un lugar donde se reúnen muchachas complacientes que reciben gustosas los cumplidos de hombres libertinos y que se prestan a sus deseos por una recompensa. La muchacha suelen ir a esos lugares, normalmente, por sus tendencias naturales, con el tiempo el placer las hace quedarse allí .

–Me gustaría vivir en una ciudad con lugares como esos! ¿Y a ti, Suzon?

No me respondió, pero comprendí por su silencio que no castigaría su naturaleza más que cualquier otra y que el placer tendría tanto dominio sobre su corazón como sobre el de esas muchachas complacientes a las que la solicitud de los hombres convierte en ídolos públicos.

–Me parece –agregé– que la hermana Mónica acudiría a ese lugar tan de buen grado como su hermano.

–Sin duda alguna –me dijo–, esa pobre muchacha ama a los hombres hasta la locura; sólo con la idea de poseer uno para ella ya goza.

–Y tú, locuela, ¿a ti no te gustan?

–Me gustarían –contestó– si lo que se hace con ellos no fuera tan peligroso y difícil solventar.

–¿Tú crees? –le dije–, no es tanto como a ti te parece. Cuando se hace eso con una mujer no siempre queda encinta. Mira esa señora vecina nuestra: casada desde hace mucho tiempo, lo hace con su marido, y en cambio no tiene hijos.

Este ejemplo pareció confundirla.

—Proseguí como inspirado por una lucidez extraordinaria para mis años que me permitía penetrar en los misterios de la naturaleza, —escucha Suzon— la hermana Mónica te contó que cuando Martín se la metía, estaba toda llena de ese liquido que él le daba: y es eso sin duda lo que la dejó preñada.

—Bien, pero... —dijo Suzon mirándome como si buscara la solución de gozar sin exponerse a determinados riesgos—, ¿qué quieres decir con eso?

—Quiero decir —reparé— que si es lo que el hombre derrama es justamente lo que produce tales efectos, se puede evitar derramándolo en el exterior cuando se sienta que va a salir.

—Suzon aguzó rápidamente su mirada ¿Pero se puede hacer eso? —preguntó con vivacidad—. ¿No has visto nunca a dos perros, uno encima del otro? Tienen que apalearlos para poder separarlos, gruñen, se agitan, quieren separarse y no pueden: están unidos de tal forma que no les resulta posible. Dime, si un hombre se une de la misma forma a una mujer, ¿qué pasa si alguien viene, si alguien le sorprende?

Como el ejemplo era demasiado evidente tal argumento me desarmó; parecía que Suzon hubiera estado sobreaviso de lo que le iba yo a proponer. Sin lugar a dudas, nos encontraríamos en una situación semejante, si Suzon consentía en mis propósitos. Se notaba que estaba pendiente de mi respuesta; y si hubiera sido capaz de leer en su alma, habría comprobado que se arrepentía de haberme planteado un problema que no estaba en condiciones de resolver. Yo tenía interés por abolir este prejuicio del que sin duda dependía mi felicidad, trataba de encontrar algunas razones para convencerla. Recordaba perfectamente que el Padre Policarpo, la tarde anterior, no había tenido ninguna dificultad para retirarse del cuerpo de Antoñita. Estaba a punto de citarle ese ejemplo, pero se me ocurrió que seria mejor hacérselo ver. Mis argumentos no parecían satisfacerla, mas sus deseos suplieron la falta de persuasión. Sólo necesitaba un ejemplo contrario para convencerla. En ese mismo momento, vi al bueno de Ambrosio que salía de la casa tomando el camino de la calle. Su marcha me ofreció la posibilidad más favorable que hubiera podido imaginar. Convencido de que el padre y Antoñita aprovecharían la libertad que les concedía para recuperar el tiempo perdido, le dije a Suzon en un tono sosegado:

—Ven, quiero demostrarte que estás equivocada.

Ayudé a Suzon a incorporarse, tras haberle metido una mano por debajo de las faldas cosa que ella rechazó juguetona.

—Pero... ¿Dónde me llevas? —me dijo, viendo que me encaminaba hacia la casa.

La bribonzuela creía que la llevaba hasta la recogida arboleda, me hubiera seguido hasta el fin del mundo. ¡Cuánto mejor habría sido habérmela llevado a ese lugar! Pero era demasiado inexperto para advertir que era eso lo que me estaba pidiendo y no otra cosa. Como yo temía una nueva resistencia de su parte y el destino me arrastraba. Le expliqué que la llevaba a un sitio donde vería algo que le provocaría un gran placer.

—¿Adónde? —me respondió con impaciencia, al ver que yo avanzaba hacia la casa.

—A mi habitación —le contesté.

—¿A tu habitación? —me dijo—. ¡Oh! ¡No! Es inútil, Saturnino: ¡sé que me quieres hacer algo!

Le juré y perjuré que no sucedería nada que ella no quisiera que sucediese y percibí, por la expresión con que consentía acompañarme, que estaba menos enojada por seguirme de lo que lo hubiera estado si, prometiendo ser juicioso, no hubiera pretextado nada para que se dejara guiar por mí. ¡Con cuánto placer recuerdo esas bellas experiencias de mi primera juventud! Esos preciosos instantes de mi vida son para mí fuente de orgullo; la costumbre de hacer todo con arreglo a mis pasiones y el uso inmoderado de los placeres no han hecho olvidar con menoscabo tan preciosas vivencias.

Sin ser notados entramos en mi habitación ; llevaba a Suzon cogida de la mano. La pobre temblaba, yo caminaba de puntillas y ella me imitaba, con una seña le indiqué que guardara silencio, y, tras ordenarle que se sentara, me acerqué con tiento al tabique: aún no habla nadie.

En voz baja le dije a Suzon que no tardarían en llegar. –Pero, ¿qué quieres mostrarme? –me preguntó intrigada por mis maneras misteriosas.

–Ya lo verás –le respondí–, y de inmediato, anticipándome al privilegio que esa vista me iba a conceder, la empuje con suavidad hasta tumbarla sobre la cama y traté de meterle la mano entre los muslos.

Cuando estaba casi a punto de llegar al liguero, se levantó enérgicamente y amenazó con armar un escándalo si continuaba con esos tocamientos. A tal punto llegó la cuestión que incluso fingió querer salir de la habitación: me tomé esta comedia como un verdadero síntoma de enfado y fui tan bobo como para imaginar que de veras quería marcharse. Me sentía avergonzado, el corazón me latía aceleradamente, apenas podía abrir la boca. Y aunque sólo balbuceaba, logré convencer a la muchacha de que se habría enojado mucho más si mi silencio la hubiera obligado a llevar a cabo su amenaza: consintió quedarse, cuando oí abrirse la puerta de la habitación de Ambrosio. El corazón me dio un salto de alegría y aguardé impaciente a que la curiosidad de Suzon hiciera por mi lo que yo no había podido hacer por mí mismo. Pues casi yo había perdido las esperanzas de ver cumplidos mis deseos.

–¡Ya vienen! –le dije haciéndola callar y reteniéndola sobre mi cama–. ¡Ya vienen, querida Suzon!

Me acerqué al tabique y aparté el cuadro que me hurtaba a la vista la escena de la habitación contigua: distinguí al cura, que cogía a Antoñita por los pechos con claros e inequívocos indicios de buenos y golosos deseos. Estaban inmóviles, estrechamente abrazados, el uno contra el otro, reconcentrados en si mismos, parecía que, mediante esa profunda meditación, se embebían de la grandeza de los misterios que iban a disfrutar.

Esperaba a que entraran en acción para avisar a Suzon para que se acercara, por ello permanecí atento a todos y cada uno de sus movimientos. Antoñita, harta de la prolongada meditación, se zafó de los brazos del monje y, echando al aire corsé, falda y camisa, se quedó como lo exigía el decoro ritual. ¡Cómo me agradaba verla con ese traje! Mi ardor amoroso, que las luchas con Suzon no habían más que exasperado, fue aumentando progresivamente después de esta hermosa visión.

Suzon, a quien mi atenta observación impacientaba, se había levantado de la cama y se había acercado a mí. Estaba tan absorto en la contemplación que ni reparé en ello.

—¡Déjame ver a mi también! —me dijo empujándome un poco.

Sin pestañear le cedí mi puesto y me quedé a su lado para escrutar en su rostro la impresión que le produciría el espectáculo que iba a ver. Primero, la vi enrojecer, pero presumía demasiado de su propensión al amor como para temer que la visión produjese un efecto contrario al deseado. No se movió de su puesto. Curioso por saber si el ejemplo me era favorable, comencé a deslizarle la mano por debajo de la falda. Solo hallé una resistencia mediocre; se limitaba a rechazarme con la mano, pero sin impedir que la mía subiera hasta los muslos, que tenía firmemente apretados. A los arrebatos amorosos de los guerreros de la otra habitación, le debo la facilidad que me fue dada para separárselos, Habría podido calcular el numero e embestidas que daban o recibían el padre o Antoñita según los avances de mi mano, más o menos veloces, sobre sus maravillosos muslos. Por fin alcancé el objetivo. Suzon se rindió sin resistencia; abrió los muslos permitiendo a mi mano que se satisficiera. Aproveché la ocasión y puse el dedo en el lugar clave; apenas podía entrar, Advirtiendo que el enemigo había ocupado terreno, se estremeció y sus estremecimientos se repetían a cada gesto, por pequeño que fuera, de mi dedo. No cabía en mí de mi gozo mi preciosa rubita estaba a punto de ser mía.

—Y alzándole las faldas por detrás vi, ¡oh cielos!, el más bello, blanco, torneado, firme y encantador culito que se pueda imaginar. ¡Ya te tengo Suzon! —le dije— ninguno de los culitos que he tocado se puede comparar ni de lejos al de Suzon.

Eran unas nalgas cuyo exquisito color superaba al del mismo rostro; nalgas bellísimas, sobre las que deslicé mil besos de amor. Sí, os merecíais ser adoradas; merecíais el más puro incienso, pero teníais un vecino demasiado temible. Aún no era mi gusto tan depurado como para reconocer todo vuestro valor: ¡Lo creí el único digno de mi pasión! Culo encantador, ¡cómo te venga ahora mi arrepentimiento! ¡Sí, guardaré siempre vuestra memoria! ¡Os he elevado en mi corazón un altar donde cada día de mi vida lloro mi ceguera! Estaba arrodillado ante ese culito bendito, lo abrazaba, lo estrechaba , lo entreabría, me extasiaba; pero Suzon poseía también otros encantos que despertaban mi curiosidad. Me levanté enajenado, clavé mis ojos sedientos en sus dos tetitas duras, firmes, altas, redondeadas por el amor. Subían, bajaban y parecían pedir una mano que acompañara su movimiento. Posé sobre ellas mi mano, las estrujé. Suzon se dejaba hacer. Estaba claro que nada podía apartarla de aquel espectáculo que tanto la maravillaba. Yo me sentía feliz, mas su atención era demasiado prolongada para ejecutar con comodidad mi ansia amorosa. Ardía en un fuego que sólo el goce extinguiría. Deseaba ver a Suzon desnuda y saciarme con la vista de un cuerpo que besaba, del que manoseaba todos sus tiernos rincones. Creía que la imagen bastaría para colmar mis deseos, pero pronto me di cuenta de lo contrario cuando empecé a desvestir a Suzon sin que ella opusiera resistencia. Desnudo yo también, buscaba la forma de satisfacer mi pasión; me faltaban fuerzas para ir más allá. La besé con un fervor casi religioso mil veces, besos desperdigados y repartidos, las muestras más vivas de amor estaban mil veces por debajo de lo que realmente sentía. Traté de metérsela, pero la postura no era la más adecuada: había que metérsela por detrás. Separaba las piernas, las nalgas, pero la entrada era tan minúscula que no podía lograr mis propósitos. Metí el dedo y lo retiré rociado de un licor amoroso. La misma causa surtía en mí el mismo efecto. Me esforzaba porque el dedo volviera a sentar plaza en ese sabroso lugar y siempre me tropezaba con los mismos obstáculos a pesar de la gran ayuda que ella me prestaba, le ponía gran afición y empeño.

—Querida Suzon —dije fuera de mí a causa del obstáculo que su tenaz contemplación enfrentaba a mi felicidad— déjalos, ven, Suzon; podemos darnos tanto placer como ellos...

Sus ojos eran como dos brasas encendidas. La tomé amorosamente entre mis brazos, la llevé sobre mi cama, la deposité y le separé los muslos; mis ojos se lanzaron con avidez sobre una rosita roja que empezaba a abrirse. Un pelo rubio y levemente rizado sombreaba un conejito, cuya blancura de porcelana no sería capaz de reproducir el pincel más delicado. Suzon, inmóvil, esperaba ansiosa algunas habilidades amorosas súmamente placenteras. Me esforzaba por dárselas, pero no daba pie con bola: o apuntaba demasiado alto, o apuntaba demasiado bajo, me estaba agotando con tan torpes acciones, me sentí algo avergonzado por mi falta de experiencia en tales lides.

Finalmente me la metió ella misma. ¡Ah! Entonces noté que estábamos en el verdadero camino. Un dolor, que no imaginaba encontrar en una ruta tapizada de flores, surgió de pronto deteniéndome. Suzon experimentaba algo parecido; pero no nos rendimos. La muchacha intentaba ensanchar el pasaje; yo empujaba, ella me secundaba. Ya estábamos en la mitad del viaje y Suzon posaba en mí unos ojos agonizantes y extraviados; su rostro encendido no respiraba más que a intervalos y emanaba un calor prodigioso. Nadaba en un torrente de delicias; esperaba aún otras mayores y me apresuraba para gustarlas. Momentos tan gratos serían turbados por la más cruel de las desgracias. Empujé con ardor. Mi cama, esta desgraciada cama mía, testigo de mi éxtasis y mi felicidad, nos habría de traicionar. Era un catre, en realidad; falló una clavija y cayó, produciendo un ruido espantoso. Esta caída podría haberme sido favorable, puesto que podría haberme ayudado a entrar donde yo quería, aun a costa de un extremo dolor para ambos, Suzon se esforzaba por no gritar. Asustada, quiso arrancarse de mis brazos; furioso de amor y desesperación, la abrazaba aún con más brío. Mi obstinación nos costaría cara. Antoñita, avisada por el ruido, acudió, abrió la puerta y nos vio. ¡Qué escena para una madre: una hija y un hijo! Y como si hubiera sido inmovilizada por algo más poderoso que su propio cuerpo, no podía avanzar. Nos observaba con los ojos encandilados por la lascivia; entreabría la boca para hablar, pero la voz expiraba en sus labios. Sin duda alguna la escena la dejó petrificada, ¡que escena tan colosal !

Suzon se había paralizado; sus ojos dulces se cerraban sin tener ni fuerza ni coraje para abrirse. Yo miraba alternativamente a Antoñita y a

Suzon, a la una con rabia, a la otra con dolor. Enardecido por la petrificación en la que el asombro parecía haber sumido a Antoñita, decidí aprovechar el momento y empujé; Suzon dio entonces señales de vida, lanzó un profundo suspiro, volvió a abrir los ojos y se apretó contra mí dando una culada. Suzon gustaba el soberano placer: se corría; con su gozo gozaba yo también y justo cuando estaba a punto de compartirlo del todo, cuando sentía que venía, Antoniña se arrojó sobre nosotros y me arrancó de los brazos a Suzon.

Sin duda, fue la desesperación la que me arrebató la fuerza y el coraje para vengarme, me quedé inmóvil entre los brazos de esa madrastra celosa.

El Padre Policarpo, tan curioso como Antoñita, corrió a su vez para ver lo que sucedía y no fue menor su sorpresa al ver el espectáculo que se ofrecía a sus ojos, sobre todo al ver a Suzon, recostada de espaldas, pasándose un brazo sobre los ojos y llevándose la mano del otro al lugar culpable, como si un gesto así pudiera arrebatar sus encantos a las miradas lúbricas del monje. La miró primero a ella, yo miraba como a su centro y Antoñita me miraba a mí. La sorpresa, la rabia, el miedo, nada me hacía destrempar. Mi polla, descapullada, estaba más dura que un martillo. Antoñita no le quitaba la vista de encima. Este detalle la perdonó de antemano y me reconcilió con ella. Noté cómo me arrastraba fuera de la habitación; yo estaba muy turbado, sin saber qué hacer. En cueros vivos, la seguí inconsciente y en silencio. Antoñita me llevó a la otra habitación y cerró la puerta con cerrojo. El temor vino entonces a sustituir el asombro y quise huir; busqué un refugio donde ampararme del resentimiento de la mujer. No dando con él, me escondí debajo de la cama. Antoñita se dio cuenta de mi pánico y trató de apaciguarme con palabras encendidas que no atiné a descifrar en aquel momento.

–No, Saturnino –me dijo–; no, querido mío, no quiero hacerte ningún daño.

En un primer momento no creí en su sinceridad y no salí del refugio. Vino a sacarme ella misma. Al ver que tendía los brazos para atraparme, yo retrocedía; pero por mucho que batallé, ella acabó por agarrarme. ¿Por dónde? ¡Por la polla! Ya no había forma de defenderse. Salí, o mejor dicho me atrajo hacia sí, sin soltar su preciada presa. La vergüenza de aparecer en cueros no me impidió quedarme con la boca abierta al ver que Antoñita también estaba desnuda, ella, que sólo hacía unos momentos se había mostrado ante mis ojos con un batín. Mi polla recobraba en su mano parte de la fuerza y la rigidez que el temor me había hecho perder. ¿Confesaré mi flaqueza? Mirándola ya no pensaba en Suzon: sólo estaba pendiente de Antoñita. Siempre bien empalmado y con la cosa sometida a la pasión, había desechado todo cuidado. Antoñita me sujetaba la polla y yo miraba el espeso vello que cubría su coño, aparentaba tener un gran coño dada la dimensión de la alfombra que cubría su pubis.

–¿Y qué hizo la muy golfa? Se acostó sobre la cama atrayéndome hacia ella y separó los muslos con decisión.

–Ven aquí, gilipollas; ¡métela bien adentro!

No me hice más de rogar y, sin hallar grandes dificultades se la hundí hasta las entrañas. Animado por el preludio habido con Suzon, pronto me sumergí en un mar de delicias cayendo inerte sobre la lúbrica Antoñita, que agitando las carnes, recibió las primicias de mi virilidad. Fue así que me estrené, poniéndole cuernos a mi padre putativo: pero, ¿qué más da? una causa tan noble como la habida justificaba sobradamente tan caballerosa acción.

Se que para aquellos lectores cuya naturaleza fría, gélida, no ha experimentado jamás los avatares del amor, les puede parecer una acción escabrosa digna de censura. Un sabio consejo les daré; señores, haced estas acciones; dad rienda suelta a vuestra moral; os dejo el campo libre, yo sólo quiero deciros una palabra: trempando como yo trempaba, ¿qué hubierais jodido? ¡Hasta al diablo!

Tras la primera y grata embestida nos proponíamos repetir tan gratificante ejercicio cuando fuimos interrumpidos por un ruido sordo procedente de mi habitación. Antoñita, que comprendió de qué se trataba, se levantó gritándole al padre que terminara. Se vistió en un santiamén, me ordenó volverme a esconder debajo de la cama y se fue corriendo para impedir que las cosas llegaran a mal puerto.

Volé hacia el agujero del tabique, apenas hubo vuelto la espalda. Distinguí al monje que tenía en sus brazos a Suzon, ya vestida, pero con el refajo levantado. El hábito del monje también lo estaba y discurrí que el ruido tenía su causa en el extremo grosor del miembro de Su Reverencia, que hacía esfuerzos inútiles por entrar en un lugar que no era para él. El combate concluyó, al aparecer Antoñita se arrojó con furia sobre los combatientes, arrancó a Suzon de los brazos del incestuoso y, con dos o tres bofetadas, le dio permiso para salir. Por lo visto, la acción enérgica llevada a cabo por Antoñita la había agotado tanto que no fue capaz de mostrar su descontento al Padre Policarpo: lo miraba con sofoco. Un monje nunca carece de impudicia; sin embargo, la del padre no resistió a la vergüenza de haber sido atrapado en flagrante delito y, tal vez, al temor a los reproches con los que pensaba que Antoñita le mortificaría. Enrojecía, palidecía y no se atrevía a encararse con Antoñita cuyo rostro registraba exactamente los mismos cambios. Quedó claro que ambos estaban hechos el uno para el otro.

Desde mi rincón observaba con atención esperando convertirme en espectador de una repentina escena de violencia: la temía y la presentía ¡Qué poco les conocía a uno y al otro! El monje parecía confuso, pero seguía empalmado. No tardó en restablecerse la paz. Se acercó a Antoñita y poniéndole en una mano su jovial aguijón oí cómo le decía:

–Ya que no me he follado a la hija, al menos me follaré a la madre.

¡Oh! Por semejante insulto, Antoñita le concedería siempre su perdón; incluso se ofreció de buen grado a ser la víctima de la furia amorosa del monje. Él la cogió, la abrazó, cayeron entrelazados sobre los restos de mi catre y sellaron su reconciliación con una copiosa descarga; al menos, así me pareció viendo los arrebatos del cura y las culadas de Antoñita.

Llegado a esta altura del relato os preguntaréis, ¿qué hacía en el interin ese imbécil de Saturnino? ¿Se contentaba acaso mirando como un

64

idiota por un agujero las caricias de los dos campeones, sin sumarse al menos con el pensamiento. Inteligente pregunta.

Saturnino andaba aún desnudo y como una brasa por las caricias que Antoñita le había prodigado; el espectáculo que se desarrollaba ante sus ojos le encendía la sangre... ¿Pues qué queréis que hiciera? Se hacía una paja; montaba en cólera viendo cómo el monje cabalgaba sobre Antoñita, sin sacar ningún provecho, y el bribonzuelo se corría cuando el monje y su madre se corrían también. Ya estáis informados; volvamos a nuestros personajes.

—Y bien —dijo el monje—, ¿lo hago tan bien como Saturnino?

—¿Saturnino? —respondió—; ¿y qué he hecho yo con Saturnino? ¡Pero bueno! ¿Es que ese granuja no ha ido bajo la cama a esconderse y no está allí todavía? Pero, paciencia, ya vendrá Ambrosio y no se librará de unos buenos azotes; se los ha ganado realmente.

Escuchaba el coloquio: ¡imaginad cuánto placer me causó! Aplicando aún más el oído, me enteré de la réplica del cura:

—Antoñita, mujer, no nos enfademos. Sabéis que no puede vivir siempre en esta casa; es ya muy mayor, ¿no es verdad? Quiero llevarlo conmigo cuando me vaya.

—Pero —agregó Antoñita—, ¿no pensáis que si ese bribón sigue aquí no podremos ya hacer nada? Se correrá la voz, ¡nos ha descubierto! ¡Justo! —prosiguió, notando el agujero en el tabique—. ¡Oh! ¡Dios mío! No me había dado cuenta de este agujero en el tabique. Ese marrano lo habrá visto todo por ese agujero.

Pensé que iría a la otra habitación para Comprobarlo y pronto me zambullí bajo la cama de donde ya no Salí, aunque tenía unas tremendas ganas de seguir oyendo aquella conversación que tanto me interesaba. Me quedé quieto como un clavo, esperando con impaciencia el resultado de la plática. No tuve que aguardar demasiado. Me vinieron a sacar de la cárcel; temblaba ante la posibilidad de que fuera Ambrosio.

¡Menudo cuadro el mío de ser así! Era Antoñita que me traía las ropas y me ordenó vestirme a toda prisa. La miraba de reojo, sin atreverme a más después de lo que le había oído decir a mi respecto. La obedecí con sumisión, aunque desafiante a sus continuas amenazas. Ella se vestía también, incluso lo hizo con ropas endomingadas, Yo acabé, ella acabó.

—Vamos, Saturnino —me dijo—, sígueme.

No tuve otro remedio que seguirla. ¿Adónde me llevó? A casa del señor cura.

Fue por aquel entonces que Antoñita me presentó a ese santo hombre y le rogó que me diera cobijo en su casa por unos días. La frase «por unos días» me tranquilizó. ¡Bueno!, me dije, para mis adentros, pasados algunos días, el Padre Policarpo me llevará con él.

Me acomodé con mayor facilidad a mi retiro pues albergaba a esperanza de que sería para una corta temporada. No podía reflexionar sin sucumbir al dolor. Suzon, querida Suzon, ¿te perdí, pues, para siempre?, exclamaba en mi fuero interno desde un rincón de la sala adonde me había apartado para dar rienda suelta a mis ensueños. Ensueños de qué, ¡de Suzon! La agitación que había hecho presa en mí desde hacía unas horas la había sustraído a mi pensamiento, pero al recobrarme su persona volvió a ocuparlo por entero. Me dolía el corazón sólo con la idea de perderla. Mi imaginación se posaba en todos sus encantos, recorría la belleza de su cuerpo, sus muslos, sus nalgas, su cuello, sus tetitas blancas y duras, que tantas veces había besado. Recordaba el placer experimentado con ella y, al pensar en el habido con Antoñita, me decía: ¡Cómo habría sido de haberlo gustado con Suzon! Caí extasiado sobre Antoñita, sobre Suzon habría caído muerto. ¡Ah! No lamentaría la vida si la perdiera en sus brazos. Pero ¿qué le habrá ocurrido? Expuesta a la furia de Antoñita morirá de pena. Tal vez está llorando, tal vez maldiciéndome. ¿Podré vivir si me odia, a mí que la adoro, a mí que sufriría todo con tal de ahorrarle cualquier tristeza? ¡Ay, ella presintió nuestros sufrimientos, y soy yo quien la ha abocado a ellos!

Éstas eran las ideas que abatían mi espíritu en aquellos momentos; había caído en un estado de gran melancolía del que no salí hasta que sonó la campanilla de la cena; vinieron a buscarme.

Dejemos a Suzon por un instante; ya la volveremos a encontrar, pues tiene un papel muy importante en estas memorias. Haré conocer al lector algunos personajes con los que iba a convivir, empezando por el cura.

El referido cura era uno de esos individuos a los que no puede uno mirar sin soltar una carcajada, su estatura era de unos cuatro pies y la anchura de su cara de medio, y teñida de bermellón púrpura que no le venía precisamente de beber agua, tenía la nariz achatada y cuajada de rubíes, los ojillos negros y vivarachos sombreados de largas pestañas, la frente huidiza, el pelo rizado como un perrillo de aguas, añadidle a todo ello un aire guasón y malicioso y ya tenéis al señor cura. Como colofón les diré que el bribonzuelo tenía sus buenos dineros.

Cultivaba muy gustoso la viña del Señor, cumplía también las funciones de un buen padre Celestino. Por lo común, esos mamarrachos son unos señores muy vigorosos para juegos de este tipo y a nuestro cura no le faltaban, creo, estas facultades, que, cuando se les permite ponerlas a prueba, valen más que una bella figura.

El siguiente personaje destacable vivía en la casa del cura, me refiero a su respetable casera.

La señora Francisca era una vieja bruja más astuta que un mono viejo, más perversa que un diablo viejo. Aparte de eso, era la bondad personificada. Su rostro reflejaba ya sus buenos cincuenta años, pero la coquetería no conoce ni país ni condición, y ella confesaba treinta y cinco. A pesar de sus parloteos, era decente, pero tan decente que, durante los quince años que había trabajado al servicio del señor cura le había garantizado la incomodidad de los retiros, igual que los que acostumbraba hacer antaño en el seminario, dos o tres veces cada lustro, miserias de juventud que le habían asqueado y aunque la señora Francisca tenía los ojos ribeteados de rojo, la nariz embadurnada de tabaco, la boca hundida hasta las orejas y en la boca un par de dientes vacilantes, el señor cura, reconocido por sus servicios pasados, no escatimaba para con ella ni caricias ni afecto. La señora Francisca era la mayordoma de la casa; todo pasaba por sus manos, hasta el dinero de los pupilos, que no era demasiado por otra parte. No hablaba jamás del cura sino era en plural. Que le encargaban una misa:

—¡Os la diremos!

Que no le daban el dinero apetecido: —¡Por ese precio no decimos misa!

—¡Eh, señora Francisca! (un «señora» gordo como el brazo, pues sin ese título se ofendería gravemente), oiga, señora Francisca, no tengo más dinero!

—¿Qué?, ¡por lo visto, creéis que a nosotros nos lo regalan todo! Es menester comprar vino, velas y el trabajo, . ¿eso no significa nada para vos?

Al amparo de la unión entre Francisca y el señor cura crecía una muchacha, digamos la sobrina del cura, pero que de seguro su parentesco era más directo que el de sobrina.

Era una muchacha gorda carrilluda, algo picada de viruelas, de piel lechosa y con un seno adorable, la nariz tiraba a la del cura, aunque todavía no estaba ensartada de rubíes, se la veía con mucha predisposición para llegar a poseerlos algún día no muy lejano; los ojos pequeños y fogosos. Podría haber pasado por pelirroja, de no haber sabido que éste era un color proscrito y que el rubio era más adecuado para las bellezas, como creía serlo, tomaba sus atributos. De todas formas, rubia o pelirroja no era una característica que pudiera inquietar mucho a ese bribón de estudiante de filosofía que venía de vez en cuando a pasar ocho o diez días al prebisterio, menos por amistad con el cura que por los encantos de la sobrina, a la que el canalla estrechaba tanto, tanto que...

Pero bueno, aún no ha llegado la hora de contaros lo que me sucedió en relación a ello.

La señorita Nicóle (así se llamaba esta graciosa persona), tal y como os la acabo de presentar, era objeto de adoración de todos los pensionistas. Los externos también querían meter baza en el asunto, a los mayores se les admitía más o menos bien, a los pequeños muy mal. Yo no era de los más crecidos, para mi desgracia. No es que no hubiera tenido ganas en más de una ocasión de echarle un polvo a esa pepona, pero la edad hablaba en contra mía. Cuanto más protestaba aduciendo que sólo en apariencia era joven, menos me creía, y para clavarme la puntilla, le andaban con cuentos sobre mis proezas amorosas a la señora Francisca, que inmediatamente se las contaba al cura, que no me mimaba precisamente, echaba chispas y rayos por el hecho de ser pequeño, pues no se me escapaba que era ésta la causa de todos mis males.

Realmente se me habían presentado dificulatdes para conquistar a Nicole. Desaires de parte de la sobrina, azotes del cura; no había quien lo soportara. Sin embargo, no había logrado todo aquello extinguir mis pasiones; sólo estaban emboscados, y la presencia de Nicole las reavivó. Solo faltaba una buena ocasión para prender la hoguera, que no tardó en llegar; pero el orden de los hechos me obliga a posponer esta aventura hasta que le llegue su turno, y aún no le corresponde. A continuación les narraré lo sucedido con la señora de Dinville.

Yo no había olvidado que esta dama me había hecho prometer que iría a cenar con ella al día siguiente. Me fui a dormir, decidido a cumplir con mi palabra.

Más que por la señora de Dinville deseaba ir al castillo la esperanza de encontrar a Suzon. Claro que una intuición general de placer me conducía a tal cita; así era como yo razonaba: ¿por qué me ha metido en casa del cura? Porque el padre Policarpo sospecha que Antoñita me ha dado una lección que no es de su gusto; y es por temor de que me acostumbre a esa clase de lecciones que ha juzgado conveniente instalarme aquí. Antoñita ha observado en el monje otros curiosos detalles y, al menos, tiene tantas razones para alejar a Suzon de él como el monje de alejarme a mí de Antoñita. Si Suzon está en el castillo, como hay unos bosquecillos en el jardín la convenceré para ir hasta ellos. La picaruela es cariñosa, me seguirá; estaremos solos, no tendremos nada que temer. ¡Ah!

69

¡Cuántos placeres podremos gustar! Estas eran las deliciosas ideas me guiaron hasta el castillo.

Llegué a la mansión de la señora de Dinville, donde todo era sosiego. No me crucé con nadie mientras avanzaba por su interior, lo que me permitió entrar en numerosos aposentos. Cada vez que lo hacia el corazón me daba un brinco, bien de esperanza de ver a Suzon, bien de temor a no encontrarla. Las estancias emanaban un olor exótico como a maderas orientales, un olor dulzón y picante pero discreto.

Finalmente llegué así a una habitación cuya puerta estaba cerrada, pero con la llave puesta. Llegado a ese punto vacilé, pero no había ido tan lejos para acabar retrocediendo, de modo que abrí la puerta; mi valentía quedó algo desconcertada al ver una cama en la que, imaginé, debía de haber alguien acostado. Ya me iba a retirar cuando oí la acariciadora voz de una mujer que preguntaba quién andaba por ahí, y reconocí al mismo tiempo a la señora de Dinville.

—Pero si es mi amigo Saturnino —gritó—; ven a darme un abrazo, hijo mío.

Después de tal recibimiento me precipité en sus brazos.

—Me gusta —me dijo tras haber cumplido yo con mi deber más impelido por el corazón que por la urbanidad—, me gusta que un muchacho obedezca prontamente.

Vi salir del gabinete de tocador a un hombrecillo de aspecto melindroso que gorjeaba una melodía, de moda por aquel entonces, con un tono de falsete; marcaba el compás con unas piruetas que le iban a las mil maravillas con los excéntricos acentos de su voz. Al aparecer este Anfitrión de nuestros tiempos —era un abad— enrojecí avergonzado por las indiscretas y zalameras muestras de bienvenida que la señora de Dinville me acababa de hacer.

Bajaba la vista continuamente pues no me atrevía a mirarle de frente por el temor a que adivinara el objeto de mi visita, o que descubriera una sonrisa maliciosa. Por fin, como no percibí nada de todo eso, dejé de considerarle un enemigo peligroso y le tuve tan sólo por un individuo inoportuno que estaba allí para estropear los placeres con los que mi imaginación se recreaba de antemano.

Reflexionando sobre su condición de abad, buscaba en su persona alguna razón que lo justificara. Asociaba a la palabra «abad» unas ideas extremadamente limitadas, pues imaginaba que todos los abades debían de ser iguales que el señor cura o el señor vicario; apenas podía conciliar el aire bonachón de éstos con las petulantes extravagancias del personaje guasón que tenía ante mí.

Este Adonis en miniatura, el abad Fillot, era además el recaudador de diezmos de la ciudad vecina. Regresaba de Paris, como la mayoría de los imbéciles de su calaña, más provisto de vacuidad que de doctrina. Se había reunido con la señora de Dinville en su mansión campestre con la intención de gozarla. Escolar, abad, todos los ingredientes estaban servidos para tan noble objeto.

La dama hizo sonar la campanilla, acudieron; era Suzon. Mi corazón se sobrecogió al verla; no cabía de contento de que mis conjeturas tomaran cuerpo de forma tan feliz. En un primer momento no se percató de mi presencia, porque estaba escondido tras los cortinajes del lecho sobre el cual la señora de Dinville me había invitado a sentarme, situación que, entre paréntesis, no agradaba demasiado al señor abad. Apenas podía soportar las pequeñas libertades que la señora me concedía y no se me escapaba su disgusto por las muestras de afecto que me dedicaba la señora.

Suzon entró en la estancia. Súbitamente sus mejillas se animaron de bellos colores; la muchacha bajó la vista y la emoción le cortó la palabra. Me encontraba en un estado similar al suyo, con la diferencia de que ella bajaba los ojos y yo los tenía clavados en ella. Los encantos de la señora de Dinville, que no se molestaba en ahorrar a mis ojos, su cuello, sus pechos y otras partes del cuerpo que, a decir verdad, una sábana celosa me hurtaba, lo que sólo conseguía exasperar mi fantasía, habían suscitado ciertas emociones en mi corazón que se volvieron a favor de Suzon. Por fortuna regresé a los cauces naturales de mi verdadero juicio y carácter.

Si hubiera debido escoger entre Suzon y la señora de Dinville, Suzon se habría llevado sin duda la palma; pero no se me presentaba otra alternativa. La posesión de Suzon no era más que una remota esperanza, en cambio el solaz con la señora de Dinville era una certeza, pues así me lo confirmaban sus miradas. Aunque sus palabras habían sido turbadas por la presencia del abad, no destruían las promesas que sus ojos me dejaban acariciar. Se encargó a Suzon que fuera a avisar a la camarera, de modo que, una vez salió de la habitación, la señora pudo renovar mis deseos, que le pertenecían por ser obra suya.

Solo me di cuenta de la brusca desaparición del abad, era tal mi azoramiento. La señora de Dinville le había visto salir; pero, como se imaginaba que yo también lo había hecho, no pensó que era necesario recordármelo. Se inclinó sobre mi almohadón y, mirándome con una languidez que me decía con toda claridad que ser feliz sólo dependía de mí, me estrechó la mano tiernamente entre las suyas; de cuando en cuando la dejaba caer sobre sus muslos, que abría y cerraba con un movimiento harto lascivo. Sus ojos me reprochaban mi timidez y parecían acusarme de que ya no fuera el mismo que la víspera. Siempre pendiente de que el abad pudiera estar acechándonos, permanecía en un marasmo de desconfianza tan torpe, que ella acabó por ponerse algo nerviosa y con un tono de voz algo reprobatorio me preguntó:

—¿Duermes, Saturnino? —me dijo.

Un galán de profesión habría ya aprovechado la ocasión para ensartar un rosario de impertinencias. No lo era yo, y sólo ensarté una tímida respuesta:

—No, señora, no duermo.

La imagen de muchacho descarado que hubiera podido formarse de mí la tarde anterior cayó en picado ante la cándida respuesta, no dio su brazo a torcer en relación a sus intenciones para conmigo; más bien surtió el efecto contrario, me dio nuevo atractivo a sus ojos, ya que me veía ahora como a un novicio, bocado delicado para una mujer de mundo cuya fantasía se enardece voluptuosamente con la idea de un placer que aumentará y estimulará aún más sus futuros arrebatos amorosos. Así era como pensaba la señora de Dinville, de hecho es así como piensan todas las mujeres. Reconoció por mi indiferencia que su forma de entablar batalla no producía en mí grandes sensaciones y que era necesario cambiar de táctica para conseguir que yo entrara en la guerra. Me retiró la mano, y, tendiéndome los brazos con un gesto estudiado, me exhibió gran parte de sus encantos. Tal visión me apartó de mi embobamiento; me desperté, la vivacidad volvió a aparecer en mi rostro, Suzon se desvaneció de mi mente; mis ojos, mis miradas, mi impaciencia, todo era para la señora de Dinville. Percatándose del resultado de su artimaña y para encender mis brasas más de lo que ya estaban, me preguntó qué había pasado con el abad. Apenas podía mirarla, no veía nada y me sentía completamente imbécil.

—Ha salido —se contestó ella misma, simulando retirar la sábana.

Descubrió un muslo de una blancura extrema, rematado en lo alto por un cabo de la camisa que parecía haber sido colocado adrede en ese lugar para impedir a mis ojos ir más lejos, o más bien para incitar mi curiosidad.

Apenas en el primer golpe de vista entreví una cosita de color rojo que me sumió en un estado de turbación que ella captó al vuelo. Se cubrió con destreza esa parte del cuerpo que había obrado el prodigio que ella esperaba. La tomé de una mano, que me cedió sin resistencia; la besé, enajenado. Mis ojos arrojaban llamas, los suyos también. Las cosas iban a pedir de boca, pero estaba escrito que, a pesar de presentarse las oportunidades más extraordinarias, no tenía que ser feliz. Una maldita camarera apareció justo en el momento en que no se la necesitaba. Solté rápidamente la mano, y la sirvienta entró riéndose como una loca; permaneció en la puerta durante unos instantes, para resarcirse, a base de sonoras carcajadas, del enojo que sin duda le causaba la presencia de su ama. Era una situación harto delicada.

–¿Qué te pasa? –le espetó la señora de Dinville en un tono seco.

–¡Ah!, señora –respondió–, el señor abad...

–Pues bien, ¿qué ha hecho? –repuso la señora.

Entró el abad con el rostro oculto en un pañuelo. Las risas de la sirvienta aumentaron al ver entrar al cura. –¿Qué pasa pues? –le preguntó la señora de Dinville. –Mirad mi cara –respondió–, y juzgad la obra de Suzon. –¿De Suzon? –replicó la señora rompiendo también a reír. –Esto es lo que cuesta un beso –prosiguió el cura con frialdad–, como veis, no es una plato caro de condimentar.

El tono flemático que gastaba el abad para contarnos su desgracia me dio tanta risa como a los otros.

Encajó con la misma flema las burlas no muy comedidas de la señora de Dinville.

Ésta empezó a vestirse y el abad, a pesar de lo descompuesto de su rostro, fue al gabinete a acicalarse y arreglarse, coqueto él, el peinado, divirtiendo con sus cuchufletas a la señora, que no hacía más que reírse. La sirvienta echaba pestes de tanto acicalamiento y yo me desternillaba del aspecto que tenía aquel hombrecillo. Y fuimos todos a comer.

Cuatro personas nos sentamos a la mesa, la señora de Dinville, Suzon, el abad y yo. ¿Quién hizo el majadero? Pues fui yo, al encontrarme frente a frente con Suzon, el abad, que se sentaba a su lado, ponía buena cara al mal tiempo y se dedicaba a convencer a la señora de Dinville de que sus burlas no tenían fuerza bastante para desconcertarse. Suzon no estaba menos azorada. Con todo sus miradas me decían que habría preferido que estuviéramos solos. Al verla, de nuevo yo le había sido infiel a la señora y no veía la hora de levantarnos de la mesa para intentar escabullirnos. Terminada la cena, le hice una seña a Suzon, la entendió y salió de la sala. Cuando iba a seguirla, la señora de Dinville me detuvo anunciándome que le serviría de escudero durante su paseo. Al abad se le antojó una auténtica extravagancia pasearse a las cuatro de la tarde en pleno verano, mas no era para complacerle a él que la señora lo había decidido. No quería correr el riesgo de exponer a los rayos solares el cutis del señor abad, así que él optó por quedarse. Mi deseo hubiera sido correr en pos de Suzon y no seguir a la señora de Dinville, pero me creí obligado a sacrificar mi voluntad a la deferencia de que le era deudor por el honor que me hacía.

Bajo la mirada atenta del abad, que se partía de risa, caminábamos con una gravedad armoniosa por entre los parterres del jardín sobre los que el sol arrojaba los dardos de sus rayos. La señora de Dinville se defendía de él con un simple abanico, yo con la costumbre. Dimos unas cuantas vueltas con una aparente indiferencia que hundió al abad en la desesperación.

No adivinaba del todo las intenciones de la dama y no me cabía en la cabeza cómo podía resistir un calor que incluso a mí me resultaba insoportable. Mi oficio de escudero me empezaba a pesar, y de buen grado habría renunciado, pero yo ignoraba aún cuáles eran las verdaderas funciones del cargo y me estaba reservada una que me compensaría del hastío de las otras.

Cuando llegamos al final de la avenida, el abad ya se había retirado de su atalaya. La señora de Dinville se acercó hasta un bosquecillo cuya fresca sombra nos prometía un paseo delicioso si nos adentrábamos en él, Así se lo hice saber.

—De acuerdo —me respondió, tratando de leer en mis ojos si estaba o no al corriente de las razones de su paseo.

No pudo leer nada, porque yo no me esperaba hallar una felicidad como la que se me preparaba. Me estrechaba afectuosamente, e inclinando la cabeza sobre mi hombro, me acercó tanto su rostro que hubiera sido un perfecto idiota de no haberle deslizado un beso. Me dejaba hacer. Repetía las mismas facilidades, abrí los ojos.

—¡Oh! ¡Esto es coser y cantar! —pensé para mis adentros—, aquí no nos acechará ningún inoportuno.

Adivinando mi pensamiento, nos adentramos en un laberinto cuya oscuridad nos protegía de las miradas de los más clarividentes. Ella se sentó a la sombra de un sauce, yo seguí su ejemplo, poniéndome a su lado. Me miró, me cogió de la mano y se recostó. Confiado en que había llegado la hora del amor, preparaba ya mi aguijón, cuando, en un abrir y cerrar de ojos, la dama se quedó dormida. Al principio pensé que se trataba sólo de un leve sopor que no me sería difícil disipar, pero al ver que se acrecentaba paso a paso, empecé a inquietarme ante un sueño que me parecía sospechoso.

¡Si por lo menos hubiera satisfecho mis deseos–, me decía yo, podría perdonarla! Pero no podía hacerme a la idea de que se me hubiera dormido justo cuando iba a alzarme con el triunfo.

Ella llevaba las mismas ropas que la tarde anterior, el escote era generoso y sobre él descansaba el abanico, que acompasado a los movimientos de su pecho, se agitaba lo bastante como para dejarme entrever su blancura y su armonía. Agobiado por el deseo, quise despertarla, pero temía ofenderla y perder así la esperanza que mi corazón aún acariciaba. Cedí a la tentación de llevar mi mano sobre su cuello.

Duerme demasiado profundamente como para que pueda despertarse –pensé para mis adentros–. Y si se despierta, en el peor de los casos, me reprenderá. Eso es todo ¡Probemos!

Tembloroso le rocé un pecho, mientras examinaba su rostro, dispuesto a abandonar mi tarea al menor signo de desvelo, no hizo nada, continué. Mi mano sólo rozaba, por así decirlo, la superficie de su seno, cual alondra que acaricia las aguas humedeciendo las alas. De pronto le alcé el abanico y la besé, no se despertó. Cada vez más envalentonado, cambié de postura y mis ojos, animados a la vista de sus pechos, querían descender más abajo. Puse la cabeza a sus pies y el rostro contra la tierra, intentando así penetrar en el país del amor, pero no pude ver nada. Me lo impidieron sus piernas cruzadas y su muslo derecho apoyado sobre el izquierdo. Ya que no podía ver, decidí tocar. Deslicé la mano por el muslo y llegué hasta el pie del monte. Había llegado ya a la entrada de la gruta y creía deber limitar mis incursiones hasta ahí. Quería hacer partícipes a mis ojos de los goces de mi mano, la retiré y volví a mi puesto para examinar una vez más el rostro de mi dama. Ni el menor cambio, estaba sumida en un sosegado sueño y no parecía estar próxima a la vigilia.

A pesar de su sueño me sobresaltó un leve pestañeo que me hizo pensar que se estaba despertando. Recelaba y, si en ese mismo instante no se hubiera cerrado, quizá me habría contentado con lo poco que había conseguido, pero la repentina inmovilidad de ese ojo sospechoso me devolvió la tranquilidad. Regresé a mi puesto de la parte inferior y comencé a levantarle las faldas con gran cuidado. Se movió ligeramente, creí que la había despertado. Me incorporé a toda prisa y, con el corazón sobrecogido de espanto, me senté a su lado sin atreverme a mirarla. La contrariedad no duraría mucho tiempo, mis ojos regresaron a ella y comprobé con agrado que el movimiento realizado no era consecuencia de haberse despertado, y agradecí a la fortuna mí feliz situación. Las piernas ya no estaban cruzadas, la rodilla derecha levemente alzada y las faldas subidas hasta el vientre, pude verle entonces los muslos, las piernas, el pubis, el hermoso coño. El paisaje me obnubiló, llevaba una media bien tensada, ceñida sobre la rodilla por un liguero fuego y plata, tenía una pierna torneada, un lindísimo piececito, la chinela más bonita del mundo, y unos muslos de una blancura deslumbrante, rollizos, suaves, firmes, un coñito de un rojo vivo, sombreado de un vello más negro que el azabache y que despedía un olor más fragante que el de los perfumes más exquisitos. Puse el dedo, lo cosquilleé un poquito; con un ligero movimiento separó los muslos y al pronto yo me aboqué tratando de introducirle la lengua. Trempaba como un oso en celo. ¡Las comparaciones no están a la altura! Nada podía retenerme ya, ni miedo ni respeto, todo había desaparecido. Presa de los más vehementes deseos, habría sido capaz de tirarme a la favorita del sultán, en presencia de mil eunucos con la cimitarra desenvainada dispuestos a anegar mis placeres en sangre. Follaba a la señora de Dinville sin apoyarme sobre ella por miedo a despertarla. Me sostenía sobre las dos manos y sólo la tocaba con la polla, con un movimiento suave y atemperado iba saboreando el placer a grandes sorbos, sólo retenía la esencia. Mi fuego crepitaba dulcemente en cada embestida, me embargaba una sensación de dulce placer, deseaba que aquellos segundos fueran infinitos y no salir de su jugoso coñito nunca más.

Con la mirada fija en mi bella durmiente, de cuando en cuando posaba mi boca sobre la suya. Pero la precaución que había tomado de apoyarme únicamente sobre mis manos no resistió la curva ascendente de mi placer y, extenuado, me dejé caer sobre su cuerpo, ya no pude hacer otra cosa que abrazarla y besarla apasionadamente. La cumbre del placer me devolvió el sentido, que sólo recobré para recibir de la señora de Dinville un éxtasis que ya no estaba en disposición de compartir.

Cruzó las manos sobre mis nalgas y, elevando el culo que movía agitadamente, me atrajo hacia si con una fuerza inusitada. Yo permanecía inmóvil y aún fui capaz de besarla con un rescoldo de fuego que parecía querer reavivar sus brasas.

—Querido amigo —me dijo a media voz—, empuja todavía un poco. ¡Oh!, no me dejes a mitad de camino.

Para evitar dejar insatisfecha a mi hembra me puse de nuevo manos a la obra y con un ardor que incluso sobrepasó el suyo, pues apenas embestí cinco o seis veces, cayó desfallecida. Más excitado que nunca, redoblé el paso y, arrojándome en sus brazos, inmóvil, confundimos nuestros arrebatos con nuestros abrazos.

Tras la gran batalla amorosa, me retiré de su cuerpo completamente aturdido. Bajé la vista, la señora de Dinville me examinaba con atención. Estaba sentado; pasó una mano por mi cuello, me recostó sobre la hierba, y cogiéndome la polla, empezó a besarla,

—¿Qué haces, bobalicón? —me dijo— ¿tienes miedo de enseñarme esa polla que sabes manejar tan bien? ¿Acaso yo te escondo algo de mi cuerpo? Mira, aquí tienes mis tetas, bésalas, méteme la mano aquí, en el pecho, bien, y esta otra en el coño. ¡Oh! ¡Maravilloso! ¡Cuánto placer me das, bribonzuelo!

Caliente y sumamente enardecido por sus caricias, yo respondía con pasión, mi dedo cumplía con su función a las mil maravillas, ella revolvía unos ojos encandilados de gusto y lanzaba grandes suspiros, mi muslo derecho se hallaba entre los suyos y lo estrechaba con tanta vehemencia que, dejándose caer sobre mí, me ofreció pruebas más tangibles de ella.

De manera casi instantánea, mi miembro había recobrado toda su rigidez, mis deseos renacían con una virulencia reiterada. También yo empecé a abrazarla, a estrecharla entre mis brazos. Me respondía sólo con besos. Seguí manteniendo el dedo en su coño, le separé los muslos para contemplar a mis anchas ese cautivador paisaje. Estos tanteos de placer son más excitantes incluso que el placer mismo. ¿Es posible imaginar algo más delicioso que contemplar, acariciar a una mujer que se presta a todas las posturas que nuestra lascivia puede inventar? Se pierde uno, se abisma, se enajena en la contemplación de un bello coño, me gustaría ser sólo una polla para que me devorara. ¿Por qué no tenemos la prudencia de atenernos tan sólo a ese maravilloso juego? El hombre, insaciable en sus deseos, crea otros nuevos en el seno del placer mismo, cuanto más intensos son los placeres de los que disfruta, más violentos son los deseos que se producen. Y el deseo nace del abismo más interior del ser humano.

Mostrad una parte de vuestro pecho a un amante, él querrá verlo todo, mostradle una tetita blanca y dura, querrá tocarla, es como un hidrópico cuya sed aumenta cuanto más bebe, permitidle que os la toque, querrá besarla, permitidle llevar la mano un poco más abajo, querrá llevar la polla, su espíritu, talentoso para forjar incesantes quimeras, no descansará hasta que no os la haya metido en vuestro fogoso agujero que solo calmará su furor interno con esta milagrosa medicina que la naturaleza ha puesto a nuestro alcance.

Si os la mete, ¿qué pasa? Similar al perro de la fábula, deja el hueso para coger la sombra, pierde todo por quererlo todo, yo mismo, que sermoneo aquí como un doctor, sería el primero en hacer lo contrario de lo que digo.

Y es que razón no os falta cuando decimos que la potencia es un don del Cielo. Liberal con sus fieles servidores, permite que sus vástagos participen de esta liberalidad y que la fuerza genital sea hereditaria y se transmita de los monjes a sus retoños, es el único patrimonio que les dejan. ¡Ay! ¡Cuán rápido disipé este patrimonio! Mas no nos anticipemos a los acontecimientos, retrasar la historia de nuestras desgracias dulcifica el corazón.

Necesitaría Dios y ayuda para salir airoso del enredo en que estaba metido. Me acechaba un poderoso enemigo, pero podía sin ánimo de ser jactancioso aplicar aquellas palabras del Cid:

«Soy joven, es verdad, pero a las almas bien nacidas el valor no se les cuenta por los años que tienen.»

Torné a mirarla con languidez, disfrutaba besándole el cuello, la masturbaba con más ahínco, entre suspiros. Enseguida se dio cuenta de la magnífica respuesta de mi cuerpo a sus tiernas caricias.

–¡Ah! ¡Bribón! –me dijo bajando la vista–, estás empalmado, ¡Qué gorda está! ¡Qué larga! ¡Cochino! Harás fortuna con una polla semejante. Bien, ¿quieres volver a empezar?

Por toda respuesta la tumbé en el suelo.

–Un momento, espera amigo –repuso–, espera, te voy a proporcionar un nuevo placer, ahora me toca a mí besarte, recuéstate como estabas hace un momento.

Enseguida me acosté de espaldas, me montó, me agarró la polla, se la metió y empezó a moverse. Yo permanecía inerte, ella lo hacía todo, y yo recibía el placer.

Constantemente la contemplaba sin perder detalle, interrumpió un momento la labor para devorarme a besos, sus pechos cedieron al movimiento de su cuerpo y fueron a reposar sobre mi boca. Una sensación de voluptuosidad me advirtió de la proximidad del placer. Sumé mis arrebatos a los de mi jodedora, y no tardamos en sentir un inmenso placer. Me invadió el sueño cuando ya estaba exhausto por los asaltos dados y recibidos a lo largo de casi dos horas.

La señora de Dinville puso ella misma mi cabeza sobre su regazo, a fin de que disfrutara de las dulzuras del sueño en el lugar donde había disfrutado de las del amor pocos momentos antes.

–Corazón –me dijo–, duerme, tranquilamente, me contento con velar tu sueño.

–Un sueño profundo se apoderó de mí y, cuando me desperté, el sol se escondía en el horizonte. Abrí los ojos y me tropecé con el rostro de la señora de Dinville, que me miraba sonriente. Mientras dormía se había entretenido en hacer nudos. Interrumpió su obra y en un revuelo me metió la lengua en la boca con la esperanza quizá de hacer nudos de otra especie. No escondía sus deseos y me apremiaba a satisfacerlos. Yo me sentía en una desgana que acabó por exasperarla. Para sorpresa mía, no tenía ningunas ganas y sentía que, si de mí hubiera dependido, habría preferido el reposo a la acción. No era ésta la intención de mi dama, que me agobiaba con ardientes y vanas caricias a fin de despertar en mi unos deseos que ya se había esfumado. Adoptó otros medios para reanimar mi fuego extinto. Se acostó de espaldas arremangándose las faldas. Sabía cuánto poder tenía sobre mi alma ese paisaje, cogiéndome la polla empezó a menearla con más o menos celeridad, conforme a los grados de voluptuosidad que percibía nacer en mí. Al fin se alzó con el triunfo, trempaba. El retorno de mi virilidad la regocijó sobremanera. Cautivado yo también por el efecto de sus caricias, le ofrecí unas muestras de reconocimiento que ella recibió con fervor. Me abrazaba, se me entregaba con unos movimientos tan apasionados que me corrí al pronto y con un placer tan intenso, que detesté a mi polla por haber interpuesto el obstáculo de su lentitud a nuestro goce. A fin de despistar la vigilancia de los curiosos, nos alejamos del rincón donde habíamos gozado del amor, paseamos por el jardín, y estos paseos no transcurrieron sin conversación.

–Querido amigo estoy muy satisfecha de ti, Saturnino –me decía la señora de Dinville–, ¿y tú?

–Yo –le respondí–, yo estoy encantado con el maravilloso placer que me habéis dado.

–Sí –prosiguió–, pero no ha sido muy prudente entregarme a tu voluntad. ¿Serás discreto, Saturnino?

–¡Ah!, no me amáis –le dije–, puesto que me creéis capaz de aprovecharme de vuestra bondad para satisfacer mis brasas, yo quiero complacer con el debido fervor vuestra demanda.

Feliz por mi respuesta, me habría recompensado con un cariñoso beso si no hubiera existido el peligro de ser vistos. Me estrechó la mano contra su corazón, y me miró con una ternura que me cautivó.

La conversación languidecía a medida que acelerábamos el paso y me di cuenta de que la señora de Dinville echaba ojeadas inquietas a su alrededor. Me guardé mucho de preguntar la causa, pues no podía sospecharla ni remotamente. Tampoco vosotros la hubierais sospechado, ni esperado que después de haber trabajado como lo habíamos hecho, la señora no estuviera aún contenta de la jornada. Eran las ganas de coronar con todos los honores este encuentro, lo que hacía que escrutara los contornos para ver si acechaba algún indiscreto. Pero, os preguntaréis, ¿es que tenía el diablo en el coño? Cabal, había extenuado a este pobre pajarraco que no podía con su alma, estaba rendido, es verdad. ¿Qué hizo pues para que volviera a trempar? ¡Oh! Ahora os lo voy a narrar.

Como bien saben en aquella época yo me estaba iniciando en los secretos del mundo, y consideraba que había efectuado una entrada sumamente brillante en la vida adulta, por ello consideré que habría faltado a mi deber de hombre si no hubiera acompañado a la señora de Dinville a sus aposentos.

Justo cuando disponía a hacer una reverencia en señal de despedida y a abrazarla por última vez, me dijo:

–Amigo mío, ¿quieres irte? No son ni las ocho, venga, quédate, te disculparé ante el cura.

Le había dicho que era uno de los pupilos del señor cura. La idea del prebisterio me afligía y no me enojé precisamente de que la señora me ahorrara una hora de aburrimiento. Nos sentamos sobre el canapé y, tras cerrar cuidadosamente la puerta, me cogió una mano, que estrechó entre las suyas, y me miró fijamente, en silencio. Sin saber qué pensar de ese silencio, fue ella quien primero lo rompió:

–Jovencito, ¿ya no tienes ganas?

Mi impotencia me volvía sordo y mudo, me ruboricé estaba muy avergonzado de mi debilidad, era evidente su superioridad.

–Estamos solos, Saturnino –continuó redoblando sus caricias–, nadie nos ve: desnudémonos y acostémonos sobre mi cama. Ven, amor mío, ven a besarme otra vez para renovar nuestra furia.

Me arrastró hasta su cama y me ayudó a desvestirme; pronto me vio como quería verme, como Dios me trajo al mundo. La dejaba hacer más por complacencia que por placer. Me tendió de espaldas, me cubrió de besos y cogiéndome la polla, empezó a chuparla tan ardorosamente que parecía entrar en éxtasis con esta postura. Me rociaba con una saliva similar a la espuma, pero en vano se empleaba en todas esas caricias, mi cuerpo estaba gélido por el agotamiento y empezaba a temer no poder satisfacer su demanda.

Apenas se me levantó el pájaro, aunque tan débilmente que no pudo sacar ningún beneficio, corrió a buscar en un cofrecito un pomo lleno de un liquido blanquecino que virtió en el cuenco de su mano con el que me frotó los cojones y la polla varias veces. El líquido era aceitoso y despedía una agradable olor que no sabría describir.

–Ánimo –me dijo satisfecha–, nuestros placeres aún no han concluido, dentro de un rato ya me lo dirás.

Su predicción se cumplió, no tardé mucho en sentir unos picores que me anunciaron la posibilidad de que su secreto fuera acertado. Con intención dar tiempo a que obrara el prodigio, empezó a desnudarse ella

83

también. Tan pronto se mostró desnuda ante mis ojos, sentí que me ardía la sangre, mi polla trempaba con una fuerza increíble. Como un poseso, me lancé sobre ella, sin casi darle tiempo a ponerse en posición. La devoraba, no veía nada, mi cabeza se hallaba vacía, todas mis ideas estaban reunidas en su coño que estaba ansioso de comer polla.

—¡Para, amor mío! —exclamó arrancándome de mis brazos—, no nos apretujemos así, mesuremos el placer, puesto que sólo dura un instante, hay que hacerlo fuerte y vivo. Pon la cabeza a mis pies, mete la lengua en el coño, y yo voy a meterme tu polla en la boca. ¡Así! ¡Amigo, cuánto placer me das, y que cosita tan rica!

Obedecí a mi maestra y tendí mi cuerpo sobre el suyo, nadaba en un mar de placeres, adentraba la lengua cuanto podía, hasta la cabeza hubiera metido, ¡todo entero me hubiera metido! Lamía su saladito clítoris, bebía un néctar refrescante, mil veces más delicioso que el que, según la imaginación de los poetas, servía en la mesa del Olimpo la diosa de la juventud (a menos que se tratara del mismo y que la encantadora Hebe les diera su coño a lamer) era el néctar de la vida eterna, del placer infinito.

La señora de Dinville me estrechaba por las nalgas, y yo le rendía el mismo servicio, me masturbaba con la lengua y los labios, y yo le hacía otro tanto, me anunciaba mediante unas leves sacudidas apartando las piernas, el placer que experimentaba, y otros signos que a mí se me escapaban, la avisaban a ella del que yo gozaba. Aumentando o disminuyendo la vivacidad de nuestras caricias prolongábamos o acelerábamos lo que debía ser la cima del placer; que llegó imperceptiblemente: entonces nos quedamos rígidos, fuertemente abrazados, parecía que hubiéramos acumulado todas las facultades de nuestra alma para dedicarnos exclusivamente a las delicias que íbamos a gustar.

Marchad de aquí, fornicadores malditos,
Cuya polla se asusta de dos embestidas,
Blanda al primer tiro, del pozo se retira,
Marchad de aquí —mi éxtasis no está hecho para vosotros.

Fue algo increíble, nos corrimos al mismo tiempo, en ese momento tomé con toda la boca el coño de mi folladora y recibí el jugo que de allí salía, ella hizo otro tanto con el que salía de mi polla. Después, desvanecióse la ilusión, no conservaba del placer que acababa de sentir más que una vaga idea que se esfumaba como una sombra. Así son los placeres.

Vuelto a caer en el mismo estado de desazón y debilidad del que me había sacado el remedio la señora de Denville, le insista para que recurriéramos a él una vez más.

—No, querido Saturnino —me dijo—, te quiero demasiado para matarte, Confórmate con lo que hemos hecho. Vamos a vestirnos, si seguimos así cogeremos frío.

Estaba demasiado satisfecho de lo vivido ese día como para olvidarme de asegurar que pasaríamos otros semejantes. La señora de Dinville, que no se hallaba menos gratificada que yo, se adelantó:

—¿Cuándo vendrás de nuevo? —me preguntó mientras palmeaba suavemente mi espalda.

—Lo antes posible —le respondí—, mas nunca será demasiado pronto para mi impaciencia. ¿Mañana, a primera hora, por ejemplo?

—No —me dijo sonriendo—, te doy dos días, ven al tercero, y el día que vengas —continuó mientras abría de nuevo el cofre de donde había extraído el agua milagrosa que me había devuelto la virilidad y dándome unas píldoras que también extrajo de allí— te tomarás esto. Sobre todo, Saturnino, se discreto, no le cuentes a nadie lo que hemos hecho.

Le prometí guardar el secreto y la abracé por última vez, dejándola totalmente persuadida de que se había alzado con mi virginidad.

La señora de Dinville se quedó en sus aposentos. Me había advertido que saliera de forma que no pudieran verme. La oscuridad me favorecía. Atravesaba una antecámara, cuando mis pies se detuvieron.

Era ella, mi Suzon al verla, los brazos y las piernas dejaron de responderme, hubiérase dicho que su presencia me reprochaba los placeres que acababa de experimentar. Mi imaginación, en sintonía con mi corazón para aniquilarme, la convertían en testigo de todo lo que acababa de hacer. Me cogió de la mano, en silencio. Confundido, bajé la cabeza. Con todo, inquieto por su silencio, alcé la vista y vi sus ojos anegados en llanto. Esta imagen me desgarró el corazón. Suzon rescató por unos instantes el imperio que las caricias de la señora de Dinville le habían arrebatado. No podía concebir que su ama hubiera fascinado mis ojos y mi corazón al extremo de no ver más que a ella, de no ser sensible más que al placer habido con ella, y pensaba, en mi simplicidad, que se trataba sin duda de algún sortilegio, cuando la realidad era que así lo disponían mi temperamento y mi irrefrenable ansia de disfrutar los placeres de la vida.

—Suzon —le dije a mi hermana con un tono juicioso—, lloras, querida Suzon, tus ojos se han cubierto de lágrimas al verme, ¿soy yo acaso el causante de tu llanto?

—Sí, es por tu culpa —me respondió—; me ruboricé ante tal confesión, si, cruel Saturnino, eres tú quien me hace derramar estas lágrimas, eres tú quien me has conducido a la desesperación y que vas a hacerme morir de dolor y de angustia por una secreta causa que tu conoces bien.

—¡No! —exclamé—, ¡Cielo misericordioso! ¿Acaso osas, Suzon, hacerme semejantes reproches? ¿Los merezco yo, que tanto te quiero?

—¿Tú me quieres? —replicó—. ¡Me harías demasiado feliz si confesaras la verdad! Pero quizás acabas de decirle lo mismo a la señora de Dinville. Si de verdad me amaras, ¿la habrías seguido? ¿No habrías imaginado mejor un pretexto para venir a reunirte conmigo después que yo saliera? ¿Es que vale más que yo? ¿Qué has hecho con ella durante toda la tarde? ¿De qué has hablado? ¿Pensabas en tu Suzon, que te quiere más que a su vida? Sí, Saturnino, te amo, me has despertado una pasión tan intensa que, si no me respondes, me moriré. ¿Te callas? —prosiguió—. ¡Ah!, ¡ya lo veo! Tu corazón no se ha debido esforzar demasiado para seguir a una rival que voy a aborrecer con toda mi alma. Te ama, sin dudarlo, tú también la amas, no has pensado en otra cosa que en el placer que ella te ha prometido, ¡ni siquiera paraste mientes en el dolor que podías causarme!

Enternecido por sus recriminaciones, no pude disimular ante Suzon que tenía el corazón desgarrado.

—Basta de lamentos —le dije—. No abatas más a tu desgraciado hermano, tus lágrimas le hunden en la desesperación, te amo más que a mi mismo, más que lo que mis palabras pueden expresar.

—¡Ay! —dijo—. Me devuelves la vida y estoy dispuesta a olvidar si me prometes no volver a ver a la señora de Dinville. ¿Me quieres lo suficiente como para sacrificarla?

—Sí, —le respondí— la sacrifico, todos sus encantos juntos no valen ni uno de tus besos.

Al decirle esto la abracé y ella no rechazó mis caricias. —Saturnino —repuso estrechándome cariñosamente la mano—, sé sincero, la señora ha exigido sin duda que vengas a verla otra vez, ¿cuándo te ha pedido que vinieras?

—Dentro de tres días —le respondí.

—¿Y vendrás, Saturnino? —me dijo tristemente.

—¿Qué debo hacer? —le repliqué. Si vengo, será para desesperarla con mi indiferencia, si no vengo. ¡Cómo sufrirá mi corazón por no ver a Suzon!

—Quiero que vengas —continuó—, pero ella no debe verte, fingiré estar enferma, me quedaré en cama y pasaremos el día juntos, y —añadió—, ¿sabes dónde está mi habitación? ¿No? Sígueme, te la voy a mostrar.

Tembloroso e inseguro me dejaba conducir, presentía la desgracia que se avecinaba.

–Esta es mi habitación –indicó Suzon–. ¿Lamentarás pasar el día conmigo?

–¡Ay!, Suzon –le respondí–. ¡Qué delicias me prometes! Estaremos solos, nos entregaremos a nuestro amor, Suzon. ¿Imaginas esta felicidad tal y como yo me la imagino?

Guardaba silencio y parecía sumergida profundamente en sus ensueños. La apremié para que me explicase sus ideas.

–Te comprendo –me dijo al fin indignada–. ¡Ay, Saturnino! ¡Con cuánta indiferencia hablas de ese día y cuán poco te interesan los placeres que te promete, si tienes tanta paciencia como para esperar dos días!

Me conmovió su reproche, la imposibilidad de probar cuán injusto era me desesperaba. Maldecía los placeres disfrutados con la señora de Dinville. ¡Cielos!, exclamaba para mis adentros, estoy con Suzon, ¡habría dado mi sangre por gozar de esta felicidad! Estoy aquí, ¡y no tengo ni fuerza para formular un deseo! ¡Cuán complicados son los recovecos que esconde el alma humana!

En esta gran confusión de pensamientos y sensaciones, me acordé súbitamente de las píldoras que me había dado la señora de Dinville. Imaginé que su efecto debía de ser más o menos el mismo que el del líquido. Sin sospechar ni remotamente que pudiera ser menos rápido, me tragué unas cuantas. Con la esperanza de acabar, sin demora, con los recelos de Suzon, la abracé con un ardor que nos engañó a ambos, Suzon lo tomó como un testimonio de nuestro amor, y yo, como una señal inequívoca de vigor. Suzon, embelesada por la idea misma del placer, cayó desfallecida sobre la cama. Aunque, en cierta medida, seguía desconfiando de mí mismo, era consciente de que la mataría de dolor si no era capaz de colmar sus esperanzas. Me tendí sobre ella y, posando mi boca sobre la suya, le puse mi polla en la mano. Estaba aún flácida, pero creí que con su ayuda se aceleraría el efecto de las píldoras. La apretaba, la movía, la meneaba; ningún progeso. ¡Un frío mortal se había apoderado de mi cuerpo! Es Suzon, me decía, a quien estoy abrazando, y no trempo. Beso sus pechos que, ayer mismo, idolatrabá, ¿no son acaso hoy los mismos? ¿Han perdido su firmeza, o su blancura? Su piel es igual de suave, sus muslos igual de ardientes, Los separo, meto el dedo en su coño, ¡oh, desgracia, sólo el dedo puedo meter! Su agujerito aunque húmedo está prieto.

Suzon se sorprendía y suspiraba por mi falta de vigor, yo maldecía en aquellos momentos a la señora de Dinville. Se me ocurrió que, intuyendo lo que habría de pasar cuando saliera de su habitación, me había dado esas píldoras para extenuarme por completo. La tenacidad de mi impotencia corroboraba esta sospecha tan adecuadamente, que ya estaba a punto de confesárselo a Suzon, cuando de forma inesperada salí del apuro. ¿Pensaréis que fue un milagro del amor primero, que trempé después y que al fin pude demostrarle a Suzon toda la pasión que por ella sentía? Pues nada de eso. Un ruido insólito interrumpió mis vanos esfuerzos y me obligó a aguzar el oído, alguien andaba por la habitación, una silla se volcó cayendo al suelo con gran estrépito. Bruscamente, una mano invisible corrió los cortinajes del lecho y me propinó un par de bofetadas.

Asustado por el incidente, no tuve fuerzas para gritar, huí abandonando a Suzon a la furia del espectro, pues no me cabía la menor duda de que esto es lo que era. Con un poco más de sangre fría y un poco menos de precipitación en la huida, habría reconocido fácilmente en esta aparición infernal la figura repulsiva del abad Fillot que, con calzones y gorro de dormir, se agitaba como un demente y juraba y blasfemaba como un pagano. Mas el miedo, que me arrebataba todo discernimiento, me daba alas, salí del castillo corriendo y aún seguía temblando en mi lecho, en el que me zambullí tan pronto llegué a casa del cura.

El terror y el agotamiento me sumieron en un profundo sueño. Pero me desperté con ese mismo agotamiento, sintiendo la imposibilidad de levantarme. Sorprendido de una lasitud que atribula a los placeres de la víspera, caí en la cuenta de cuán necesaria es la moderación y del alto precio que pagamos por complacer en demasía los deseos de esas sirenas voluptuosas que os consumen, os extenúan y que no os dejan sin antes haberos chupado toda la sangre, si es que su interés, sostenido por la esperanza de robaros unas cuantas caricias más, no las retiene.

Desgraciadamente este tipo de reflexiones siempre se hacen cuando las cosas ya no tienen remedio. Es que en cuestiones de amor la razón sólo arroja luz sobre el arrepentimiento.

Estas ideas lúgubres trazadas por el pánico casi habían sido borradas de mi espíritu gracias al reposo. Tranquilo en lo que a mí concernía, me inquietaba sólo la suerte incierta de Suzon. En mi mente se reproducía con espanto el estado en que la había dejado. Estará muerta, me decía tristemente, retraída como era, no hacía falta mucho para acabar con su vida.

La tregua que la señora de Dinville me había impuesto había expirado, habían pasado dos días, pero aunque me sentía muy recuperado, no me tentaba en absoluto la idea de ir a buscar distracciones al castillo. Durante todo el día estuve cavilando sobre el obstáculo que ese funesto incidente había interpuesto entre Suzon y yo y los placeres que nos habíamos prometido, Esta reflexión me recordó las píldoras de la señora de Dinville, me tomé las que me quedaban. Tras haberme vuelto a quedar dormido, una potente erección me despertó. Seguramente iba a entregarme al jueguecito que adivináis y rogar a mis cinco dedos que me dieran el alivio que un muchacho imaginativo encuentra siempre a su alcance, cuando vislumbré una figura al pie de mi cama que desapareció un instante después. La visión me asustó más que me despabiló. Pensé que sería el joven estudiante de filosofía del que os hablé cuando describí a Nicole. Es él –me decía–. ¿Dónde irá ese sujeto? ¡A reunirse con Nicole, seguro! ¿Va a ir solo? ¡Ni hablar, demonios! Voy a seguirle. Me levanto, estaba yo en traje de batalla, es decir en camisón, avancé, conociendo como conocía bien la disposición de las piezas de la casa. Tropecé con una habitación cuya puerta no estaba cerrada, empujé y me acerqué con suma discreción al lecho donde imaginaba que nuestros amantes se entregaban a sus lides amorosas. Aplicaba el oído, esperando que los suspiros me anunciasen en qué punto se hallaba la diversión. Alguien respiraba, pero parecía estar solo. ¿No habrá venido aún? –me dije con extrañeza–. No, seguramente, no está, ¡pardiez! Futuro señor abad, no le vais a hincar el diente a este bocado, ¡Dios lo sabe! Al instante me aproximé a la bella durmiente y la besé en la boca con la mayor delicadeza que pude.

–¡Ah –me dijo en voz baja–, cuánto os habéis hecho esperar! Dormía ya; venga, montad a la jaca que ansía galopar hasta el fin.

A fe mía que montó en la cama y con revuelo sobre mi Venus, que me recibió entre sus brazos con bastante frialdad. Esta señal de indiferencia que creía dar a su amante me fascinó, y me felicité del éxito que la fortuna me había deparado, ofreciéndome una venganza tan dulce a los desaires de mi tigresa.

Posaba mis labios sobre sus párpados, la besaba en la boca, daba rienda suelta a unos arrebatos tanto más intensos por cuanto me habían estado vetados. Acariciaba con fervor casi religioso sus tetas bien separadas, firmes, turgentes. Nadaba en un mar de delicias; hice con ella lo que no pocas veces había soñado hacer con esa divinidad. Me pareció que no se esperaba ser tan bien obsequiada, pues apenas terminé mi primer asalto, sintiéndome más animado que nunca, me dispuse a un segundo, lo que me ganaría numerosos elogios. Estaba ella como una perita en almíbar y, a juzgar por sus caricias, esperaba una tercera prueba de valor por mi parte para considerar a esa noche como muy superior a todas las otras que habíamos pasado juntos. A pesar que me sentía capaz de ofrecerle esta nueva prueba, el miedo a ser sorprendido por mi rival amortiguaba este coraje. No sabía a qué atribuir su tardanza, sólo se me ocurría que pudiera ser un cambio de resolución inesperado, repentino.

Mientras ocupaba mi cabeza en este pensamiento, pensé que retomaría aliento y mesuraría mis embestidas, sin malgastar energías como había hecho antes.

Dos asaltos extinguen más o menos los fuegos del amor; la ilusión se desvanece, el espíritu recobra su lucidez; las nubes se esfuman, los objetivos dejan de ser lo que fueron. Las hermosas salen ganando, las feas perdiendo: peor para ellas. A propósito, quisiera darles un consejo a éstas últimas. A las mujeres cuya genética a ahorrado ornar su físico.

Ahí va pues: Feas, cuando le concedáis vuestros favores a alguien, tratadlo bien, no le agotéis: cuando no hay nada más que desear, ya no se desea nada. La pasión se apaga por un exceso de goce. Tened cuidado;

91

carecéis de los recursos de una hermosa a quien sus encantos garantizan el retorno del deseo que acaba de saciar y a la que la menor sonrisa convierte en deslumbrante.

Justo en mi propia experiencia se demuestra la teoría que acabo de expresar. Me divertía recorriendo con la mano las bellezas de mi ninfa; me asombró comprobar una diferencia singular con lo que hacía unos instantes había manoseado. Sus muslos, que me habían parecido suaves, firmes, rollizos, unidos, se habían convertido en arrugados, blandos, resecos; su coño bostezaba de puro fláccido; sus tetas pendían lamentablemente. No comprendía un prodigio semejante; acusaba a mi imaginación de haberse enfriado, reprochaba a mi mano elaborar una relación demasiado fiel de lo que hacía. No es que estos testimonios decepcionantes me impidieran aprestarme a un tercer asalto; iba ya a lanzarme y ya se preparaban a recibirme, cuando oímos una gran algarabía en la habitación contigua, que, yo creía, era la de la señora Francisca, nuestra respetable casera. Verán lo que aconteció.

–¡Ah! ¡Perro! –gritaba alguien con voz enronquecida–. ¡Ah! ¡Miserable! ¡Ah! La...

A estas palabras, mi rosita de pitiminí, a la que ya iba a metérsela, me dijo:

–¡Oh, Dios mío! ¿Qué le hacen a nuestra hija? ¿La están matando? ¡Vamos a ayudarla!

No respondí nada. Consternado por estas palabras, no sabía entonces dónde me hallaba.

–Nuestra hija –me decía–; ¿Nicole tendrá una hija?

Continuaba el alboroto y ella me apremiaba a que fuera en su ayuda. No podía moverme. La mujer se impacientó, corrió a la lumbre, prendió la candela y, a su resplandor, reconocí a la señora Francisca, la vieja... A la vista del fantasma, me quedé petrificado. Caí en la cuenta de que me había equivocado de puerta, montando en cólera al verme engañado por mi impaciencia, que me había impedido fijarme bien en la disposición de las piezas. Comprendí entonces que, aquella noche, el señor cura estaba de humor y deseaba retozar con la casera, de manera que él había advertido que se preparara para la danza; que ella, por su parte, me había tomado por el pastor, reprochándome la tardanza en acudir a mi puesto; que el santo padre, para evitar el escándalo, había aguardado hasta entrada la noche y, al ver la puerta de la habitación de su sobrina abierta, la ternura le había impelido a correr hacia el lecho, donde la había encontrado en flagrante delito; que, a la vista de esta infamia, había dado a los combatientes testimonios de su cólera más intensos que el juego mismo.

Pero ¡Diablos! el ruido aumentaba, parecía que se estrangularan: ¡Eh! Rápido, señora Francisca, volad al campo de batalla; el honor el amor, la ternura, todo junto y unido son una sola ley para vos; id a separar a unos enemigos cuya muerte os afligiría; pero, por el amor de Dios, dejad la puerta abierta para que pueda salir corriendo. ¡Oh, la perra! La cierra con doble llave. Miserable Saturnino, ¿cómo vas a escapar? La señora Francisca caerá en la cuenta de que no ha sido con el señor cura con quien ha mantenido sus devaneos, va a venir, va a descubrirte, estás perdido, pagarás por todos los demás.

En tanto continuaba la riña en la habitación vecina estos eran los pensamientos que me mortificaban. En vano había tratado de salir, pero en el mismo momento en que daba libre curso a mi desesperación, la fortuna movió su rueda. El alboroto había aumentado al aparecer Francisca, ya que el candelero le cayó de las manos al ver el aspecto del cura, al que tomó por un espectro. Imaginaos la escena: el señor cura en camisón y con gorro de dormir, sus ojillos haciendo chiribitas, su boca-za espumante, y golpeando con saña al futuro abad y a su sobrina.

Figuraos a los dos amantes, la bella temblorosa zambulléndose en la cama, el abad escondiéndose bajo la colcha y saliendo de vez en cuando para propinarle un puñetazo al cura en plena cara. Imaginaos también a una arpía en camisón que, con la candela en la mano, se acerca, quiere gritar y, presa de la consternación, se desploma sobre una silla.

A continuación se hizo un repentino silencio, el abad puso pies en polvorosa por temor a ser descubierto. El cura iba en pos de él. En ese mismo momento se abrió la puerta de mi habitación y se cerró de inmediato. Yo temblaba; alguien se metió en la cama. Nuevo horror; creí que se trataba de Francisca y que el cura no tardaría en venir a reunirse con ella. Sin embargo, todo parecía tranquilo y la supuesta Francisca lloraba y suspiraba desde su cama. Una gran confusión se había apoderado de mi persona. ¿Qué pensar de estos llantos? ¿Por qué suspira?, me preguntaba, ¿por qué ha vuelto a la habitación? ¿Vendrá el cura, o no? ¡Ah! ¡Cuán cruel es la incertidumbre! Quería salir, pero no me atrevía. Cuando, por fin, decidí evadirme, alguien me detuvo. Mi corazón me decía: Vas a acostarte, bobalicón, ¡y aún trempas! Abandonas a Francisca en sus sufrimientos: ¿tienes miedo de consolarla? Es lo mínimo que puedes hacer por ella; te ha colmado de caricias, ¿te negarás a enjugar sus lágrimas? Es vieja, de acuerdo; fea, si, pero ¿es que no tiene un coño? ¡A fe mía, Señor Diablo, que tenéis razón: Un coño por el mero hecho de ser un coño tiene gran virtud, cuando uno trempa, cualquier cosa es buena.

Vamos, vamos, continuó la voz interior, la tormenta ha pasado; no hay nada ya que temer, vuelve a la cama.

Volví a meterme en la cama, sucumbí a la tentación. Lo hice al principio con mucho tiento, sentadito en el borde; pero con toda mi urbanidad fui incapaz de contener el grito que surgió de mi garganta, sofocado al pronto por el temor a ser oído: noté que un cuerpo se retiraba hacia un rincón de la cama. La cosa no hizo sino aumentar mi sorpresa. Creí que ésta desaparecería rápidamente, si explicaba de una vez mis intenciones y esta explicación consistió en meter la mano entre los muslos de mi vieja: se habían trocado como por ensalmo en todo lo que uno puede aspirar a fin de excitar sus más vivas emociones, más suaves y firmes de lo que me habían parecido. Mi mano no se detuvo allí por mucho tiempo, aun sintiendo como sentía gran placer: pasó a explorar con mimo su conejito. Coño, vientre, tetas, todo era tan suave, tan prieto como los de una muchacha. Tocaba, besaba, chupaba, y me dejaban hacer; mi ardor reavivó al de mi bella que, dejando de suspirar, se acercó a mí y yo a ella. De la tristeza la hice pasar al amor; se la metí, con fervor y ansía de trotar camino al infinito.

–¡Ah, querido abad! ¿Quién te ha traído hasta aquí? ¿Cuántas lágrimas va a costarme tu amor?

Me enterneció esta palabrería, también aumentó mi enajenamiento; estrechaba cariñosamente a mi ninfa, confundiendo mis suspiros con los suyos y sellé, con fuertes arrebatos de voluptuosidad, las delicias que los habían precedido. Terminado el éxtasis, me acordé de las palabras que me habían dirigido. ¿Dónde estoy?, me dije entonces. ¿Con Francisca? ¡Pero qué placer tan diferente! Y ella me toma por el abad. Me dice que mi amor le hará derramar muchas lágrimas. ¿Qué querrá decir con eso? ¿Es Francisca? ¿O no lo es? No, no cabe la menor duda, solo puede ser Nicole. ¡Oh, cielos! ¡Es Nicole! Tengo por garantía de ello el placer que me ha dado y la continuación de este placer que aún siento al tocarla. Habrá huido de su lecho para venir, e imagina que también su amante ha venido a refugiarse aquí. Así interpretaba –y se me antojaba la interpretación más natural– las palabras que me había dirigido.

Con la mente fija en este pensamiento, sentí renacer, con una fuerza mayor, los deseos que otrora me había inspirado. ¿Me podréis creer? Me invadía una cierta nostalgia por los placeres que creía haber obtenido sólo de Francisca, y que se me antojaban tan inferiores a los que gustaría con Nicole. Me puse en situación de recuperar el tiempo perdido.

–Querida Nicole –le dije con ternura y tratando de imitar la voz de mi rival–, ¿en qué piensas tanto? ¿Acaso puedes permitir que la tristeza haga presa en ti, cuando la buena fortuna ha querido reunirnos para que nos entreguemos al amor?

–¡Cuánto placer me das! –replicó, respondiendo a mis caricias–. Tu dolor no hacía más que acrecentar el mío. Sí, es verdad, aprovechemos el único medio que tenemos para consolarnos. Puede ocurrir cualquier cosa –continuó cogiéndome la polla con determinación–, mientras yo tenga esto en la mano, no temeré ni a la misma muerte. Ni siquiera me asusta que puedan venir a interrumpirnos, pues he retirado la llave: si quieren entrar, tendrán que forzar la puerta. Querido vamos a volar camino a la eternidad.

Ufano por esta feliz precaución sugerida por el amor, la acaricié con renovado ardor; mi polla, que seguía manteniendo en la mano, era de una rigidez y dureza que entusiamaba a mi hembra.

—Rápido —le dije—, métela en tu coñito. ¡Nicole, me haces morir de gusto!

Sin darse prisa, continuaba estrechando mi instrumento y parecía sorprendida de su grosor, debido, a su juicio, a las caricias que me prodigaba. Quise metérsela yo mismo, ya no podía aguantar más.

Espera, querido amigo —me respondió estrechándome entre sus brazos—, deja que se ponga más larga y gorda aún. ¡Ah! Nunca la había visto tan hermosa: ¡parece como si hubiera crecido esta noche! ¡ que bárbara y espectacular!

Por lo visto, el abad no estaba tan bien dotado por la naturaleza como yo. Me habría reído de esta idea de Nicole, si no hubiera estado con humor de hacer otra cosa mucho más apremiante en aquel momento. Mi moza estaba vivamente impresionada por la sugerente visión de tamaña polla.

—¡Oh! ¡Cuánto placer me vas a dar! —dijo metiéndosela— sin pausa. ¡Empuja, amigo, empuja! ¡Venga, trabaja! —me ordenó Nicole moviéndose con unos arrebatos que me sacaron de mi letargo extático—. ¡Venga, trabaja! ¡Menéate!

Al pronto, empecé a desplegar unas enculadas, unas embestidas, que, según me decía, le llegaban hasta el corazón. ¡Ah! Las que ella me devolvía, me abrasaban, me arrojaban torrentes de delicias que alcanzaban las partes más recónditas de mi cuerpo. ¡Oh, correrse! Es un rayo de la divinidad, o ¿será la Divinidad misma? ¿Por qué no se muere uno en tus transportes? ¿Acaso la madre de Dios de los bebedores no expiró cuando Júpiter, cediendo a sus deseos, la jodió como un Dios? Porque no os llevéis a engaño, señores mitologistas, no es el fasto, ni la pompa, ni la majestad del señor del Olimpo los que segaron la vida de Semelé: fue la leche abrasadora que mamaba de su polla. ¡Oh, Mahoma! Observo tu ley, soy tu más fiel creyente; pero debes mantener tu palabra; hazme gozar durante mil años con abrazos continuos, con un placer siempre renaciente de ese delicioso correrse que tú prometes a tus fieles con tus huríes rojas, blancas, verdes o amarillas; el color carece de importancia, correrse es lo único importante y realmente transcendente.

Nicole estaba satisfecha de mi, yo lo estaba de ella. ¿Qué diferencia entre una vieja y una joven? Una joven lo hace por amor, una vieja por rutina. ¡Viejas!, dejad la jodienda para las jóvenes; para vosotras es una labor, para ellas un placer.

Mi polla, más dura incluso que antes del acto, quedó en su estuche sin ablandarse un ápice. Nicole me abrazaba aún más apasionadamente, y el mismo fuego que me animaba hacía que yo la abrazara con una tenacidad aún mayor. No la hubiera abandonado por un trono; no la habría dejado por un imperio universal. Pero la imprudencia es la compañera del amor; la felicidad aturde, uno está demasiado absorto como para que pueda pensar en que ésta puede desvanecerse. Nuestros transportes nos traicionaron; la cama estaba apoyada contra el tabique de la habitación vecina; no imaginábamos que Francisca estuviera en esa habitación y que pudiera despertarse por el ruido de nuestras embestidas; las indiscretas sacudidas de la cama la habían alertado sobre lo que ocurría en la otra habitación. Corrió como un rayo hacia la puerta: la llave no estaba en su sitio. Llamó a Nicole. Ante esta voz terrible, nos quedamos helados de espanto; se hizo el silencio y la vieja cesó de gritar. Mas no tardamos en echar al olvido la prudencia, Demasiado animados como para permanecer mucho tiempo en esta molesta inacción, continuamos nuestra labor; y aunque la realizamos con toda la discreción posible, la vieja, que no perdía ripio, no se dejó engañar. El ruido sordo de nuestros suspiros y las palabras entrecortadas que salían de nuestra boca arrojaron luz a su espíritu sobre los motivos de nuestro silencio. Y otra vez golpeó sobre la puerta. –Nicole –gritaba aporreando el tabique–, miserable Nicole, acabarás de una vez, maldita sea ¡abre la puerta de una vez!

Y de nuevo alarmas por nuestra parte; pero superando pronto el temor, le dije a Nicole que, ya que nos habían descubierto, no valía la pena tomarse ningún tipo de molestia. Aprobó con su silencio esta valiente resolución y, volviéndome a meter la lengua en la boca, me conminó a trabajar con celo. Cual generosos guerreros que, desafiando una artillería mortal que apunta contra ellos desde una muralla, continúan sosegadamente su labor y ríen del rugido impotente del cañón sobre su cabeza, nos afanábamos intrépidos al compás de los golpes que Francisca daba contra el tabique. Acabamos; y fuera por la interrupción previa, fuera por el alboroto que la vieja seguía armando y que sazonaba nuestros deleites, nos confesamos mutuamente que éstos aún nos habían sabido a poco, como si un extraño morbo de estar haciendo algo prohibido nos estimulase a seguir fornicando.

Hacerlo cinco veces en tan poco tiempo no estaba nada mal para un convaleciente ¡y de qué enfermedad! Sin embargo, sentía que no estaba por completo fuera de combate; era necesario ser prudente y no dejarse arrastrar por la pasión; triunfé sobre mi deseo; pero antes de retirarme a mi cama, juzgué sensatamente que sólo sería un idiota si dejara subsistir en el espíritu de Nicole la opinión, asaz presuntuosa, que yo había hecho nacer, a favor de su amante. Habría sido demasiado costoso para mi amor propio ofrecer a ese bergante el sacrificio de la gloria que había conseguido bajo su nombre. Vanidad; para mí, eso os hará reír, lector, ¿no es verdad? Me habría gustado veros en mi lugar. Os imagino rival como yo lo era y sensible al placer de la venganza, apuesto que habríais sido igual de fatuo que yo y hubierais dicho como yo:

—Mi bella Nicole, ¿no debéis estar descontenta de mí, verdad?

A ese respecto os habría asegurado que estaba encantada, de todo corazón.

—¿No es verdad —habríais añadido—, que no esperabais tanto de ese pequeñajo que siempre despreciabais? Pues os equivocabais, no merecía el trato que le dabais. Ya veis que los pequeños pueden valer tanto como los grandes. Adiós, querida Nicole; me llamo Saturnino, para serviros, quedo a su entera disposición para lo que gustéis.

La habríais abrazado y dejado aturdida por vuestro cumplido; habríais alcanzado la puerta, la habríais abierto (había dejado la llave en la puerta), y habríais ido a acostarnos tranquilamente a vuestra cama. Ojalá hubierais sido capaces de hacerlo tan dichosa y serenamente como lo hice yo en aquel momento.

Aguardé con impaciencia a que el día viniera a mostrarme cuáles eran las consecuencias de una noche tan singular y emocionante. Me maravillaba el fracaso del abad y mi buena fortuna. Como nadie (salvo la señorita Nicole, con cuya discreción podía contar) sospechaba nada, elaboraba de antemano una comedia y repartía los papeles que harían nuestros actores nocturnos, prometiéndomelas muy felices, dado que a mi todo me resultaría indiferente. El señor cura, me decía, tendrá un continente sombrío, taciturno, estará de mal humor, distribuirá azotes acá y allá; azotes que yo no recibiré, a menos que de veras sea gafe. Francisca escrutará en los rostros de todos los pupilos, uno tras otro, con una furia que enrojecerá aún más el escarlata de su tez. Buscará, entre los grandes, el objeto de su venganza; no por los placeres habidos, sino por los que ha dado a su hija. Si me reconociera, sería de una astucia exagerada. Nicole no se atreverá a aparecer; si lo hace, se ruborizará, avergonzada, sin dejar de hacer muecas y lanzarme miradas lánguidas. ¡Quién sabe! Es golosa e insaciable la muchacha. ¿Y seré yo cruel con ella? Estaba tan absorto en mis pensamientos que renuncié a conciliar el sueño y ya la Aurora, con sus dedos de rosa, había dejado abiertas las puertas de Priente, y yo seguía sin pegar ojo. No obstante, sentía necesidad de descanso y acabé por dormirme, en un sueño profundo que duró hasta la mitad del día. ¿Cuál fue mi reacción al abrir los ojos y ver a Antoñita que, al pie de mi lecho, parecía esperar a que me despertara? Palidecí, enrojecí, temblé. Creí que mi proceso era ya un hecho seguro, que habían descubierto mi participación en los desórdenes de la noche y que iba a pagarlo caro. Tal idea me dejó paralizado y agobiado en mi lecho con la mirada fija en los ojos de la mujerona.

—Bien, Saturnino, ¿aún estás enfermo? Respuesta nula.

—El Reverendo Padre Policarpo va a marcharse sin ti —continuó—; pensaba llevarte consigo.

A estas palabras, mi tristeza se evadió.

–¡Se va! –le dije a Antoñita con vivacidad–. ¡Verdaderamente todo me sale redondo!

Salí de la cama como alma que lleva el diablo y estuve vestido antes de que Antoñita reparara en mi paso súbito de la tristeza a la alegría. La seguí.

Demasiado agradable había sido la noticia de Antoñita, y demasiado ensimismado estaba yo en ella como para que pudiera lamentar la marcha del cura. Ni siquiera se me pasó por la cabeza que no volvería a ver a Suzon. Encontré al Padre Policarpo que ya me esperaba: se puso contento al verme. Soslayo aquí las caricias de Ambrosio, los besos y hasta el llanto de Antoñita. Ella se deshacía en lágrimas, yo sólo derramé unas cuantas. Y heme aquí sobre la grupa del caballo del criado de Su Reverencia. Adiós, Padre Ambrosio; adiós, Antoñita. Me voy, vamos, llegamos, y ya estamos en el convento.

♥ ♥ ♥

Dadas ciertas características de mi persona, ciertas inclinaciones que me llevan a la búsqueda del placer y del gozo es fácil reconocer que me hallo predestinado por mi estado a aumentar el número de verracos sagrados que la piedad de los fieles nutre en la holgura, la naturaleza me había dotado con las mejores aptitudes para esta profesión y la experiencia no había hecho más que perfeccionar estos dones.

De cuando en cuando suceden hechos que se salen de lo ordinario: de esta suerte son los hechos que voy a relatar. Que la verosimilitud resulte poco lograda, no es que sean los juegos de la imaginación los que, acompasados y manejados con destreza a fin de conseguir la credulidad del lector, hayan dominado en mi relato, sino que me referiré en todo momento a hechos verdaderos, aunque no siempre la verdad tiene una apariencia de realidad. ¿Acaso he de temer, después de todo, que resulte extraña la imagen de unos monjes perversos, disolutos, corrompidos, que creen que la honestidad estriba en no ser un truhán conocido y que, bajo la máscara de la religión con la que actúan, se mofan de la credulidad del pueblo y cometen toda clase de actos condenables dado el objetivo teórico de su dedicación? Es harto conocido que un monje es un hombre con todas sus virtudes y defectos, el hábito no priva de cometer las canalladas tan propiamente humanas.

Todos sabemos que eso es moneda de uso corriente. Franciscanos, carmelitas, mínimos, corroboran mis palabras de sobra. Corren de boca en boca miles de historias, y eso sin contar las que ignoramos y suceden a diario acá y allá.

Permítaseme reflexionar un poco acerca de la vida que llevamos y demostrar el grado de depravación al que han llegado los monjes. ¿Qué poderosas razones logran reunir en los claustros caracteres tan distintos? La pereza, la lujuria, la falsedad, la cobardía, la pérdida de la fortuna o del honor?

Inocentes y pobres gentes las que creéis que la religión es la pobladora de los claustros, que no podéis penetrar en su interior. Os ruborizaríais y los despreciaríais paso a paso indignados al comprobar su iniquidad. Alzad de una vez el velo que cubre vuestros ojos. Decidme, vosotros, los que habéis conocido al Padre Querubín, hombre que no respira más que placer, vosotros, digo, los que le habéis conocido antes de que optara por el convento, ¿cómo vivía? No se acostaba nunca sin haber dado buena cuenta de diez botellas del mejor vino y a menudo la luz le sorprendía enterrado bajo la mesa entre las sobras de la cena. Abandonó el mundo, Dios le iluminó con su gracia; le señaló el buen camino. No voy a entrar en la discusión de si fue el Cielo o sus acreedores los que obraron tal milagro; pero sabed que el Padre Querubín aún puede medirse con el bebedor más contumaz, que aún sería capaz de comerse y beberse toda la renta del convento más tres rentas conventuales más.

Ahí tenéis al Padre Querubín: tal y como un día le conocisteis, pues así sigue siendo ahora. Y el Padre Modesto, al que habéis visto entre vosotros henchido de orgullo, ebrio de amor propio, ¿acaso su carácter se ha recompuesto después de haberse ceñido el cuerpo con un triple cordón? ¿Lo creéis así? Pues yo, que le conozco, os aseguro lo contrario. Cuando habla, Bourdalue' a su lado es un pobre farfullador.

Aún más sutil que Santo Tomás, intuye, razona, interpreta, penetra. A su propio juicio, el Padre Modesto es un fénix; al vuestro, un cretino; al mío, algo aún peor.

O para muestra ahí tenéis al Padre Bonifacio, ese lagarto fisgón, que inclina la cabeza con devoción, que clava sus mortificados ojos en tierra, que al andar parece hacerlo en armonía con el orbe. Evitad semejante personaje, es una serpiente escurridiza; que sube a vuestra casa, pues cuidad de vuestra esposa, encerrad bajo llave a vuestras hijas, alejad de su vista a vuestros muchachos. Granuja, bujarrón, jodedor nato; salís vosotros, entra él; palpaos la frente, todo jodido, todo follado. No le deis tregua a semejante bribón.

Y que contar que no sepáis del Padre Hilario; anudad con fuerza los cordones de vuestra bolsa, porque os halláis frente a un bandido. No tardará en esbozar, en medio de pláticas consoladoras, sucesivas y llamativas imágenes sobre las necesidades del convento. Carecemos de todo, os dirá; comemos y dormimos como perros, el edificio se nos cae encima. Se os ablandará el corazón al mismo tiempo que se os abrirá la bolsa; chupadle la sangre, Padre Hilario, habéis encontrado a un alma cándida; saquead, robad, es el espíritu de la Iglesia.

¡Cuántos rasgos abominables de carácter podría perfilar si rastreara en todos y cada uno de los monjes! ¿Acaso se cambia de inclinación por cambiar de hábito? No; el bebedor será siempre un borracho, el ladrón un temerario y el jodedor un jodedor. Digo más: las pasiones se exacerban bajo la cogulla; se llevan en el corazón, pero la ociosidad las redobla y la ocasión las acrecienta. Me atreveré a decirlo de una vez: los monjes son enemigos de la sociedad, comparables a esas mesnadas de bárbaros que salieron de sus marismas para arrasar Europa. Unidos tan sólo por el interés, se detestan en privado los unos a los otros. Nada goza de un orden más perfecto que el exterior de su armada; nada sufre de un mayor caos que su interior. Deben elegir a un general, gritan, corren, se agitan. ¿Se trata, en cambio, de hacer una incursión en el mundo, de atentar contra la bolsa de los fieles o de inventar alguna nueva práctica supersticiosa? Un mismo espíritu les anima, todos aportan su granito de arena al objetivo común. Dóciles entonces a las consignas de sus superiores, se alinean bajo sus banderas, suben al púlpito, ruegan, exhortan. Completaré este panegírico con unos versos dictados por la sensatez y confirmados por una larga experiencia:

103

Tolle autem lucrum, superos et sacra negabunt:
Ergo sibi, non caelestis, haec turba mínistrat.
Utilitas facit esse deos, quá nempé remota,
Templa ruent, nec erunt arae, nec Jupiter ullus.

Según todo cuanto había visto hacer a los reverendos padres, mientras vivía con Ambrosio, además de por la historia galante mantenida entre Antoñita y el Padre Policarpo, había concebido las ideas más cómicas sobre el estado eclesiástico y estaba convencido de que la cogulla era el atuendo con el que más libremente podía accederse al templo del placer. Mi imaginación se solazaba con quimeras, voluptuosas en extremo, que ella misma se forjaba, no deteniéndose en los brazos de Antoñita, sino presentándome las mujeres más graciosas de los lugares a los que el destino me arrastraba: se disputaban la conquista del Padre Saturnino, dejaban entrever sus deseos con la más dulce atención y pagaban sus bondades con los arrebatos más estimulantes y deliciosos. No habrá dificultad alguna para creer que, dada la disposición en la que me hallaba, recibí con alegría el hábito de la orden con el que el Padre Prior (unido a mí desde buen principio por un afecto verdaderamente paternal) me honró al mismo día siguiente de mi llegada al convento donde iba a iniciar mi nueva carrera.

Con mi cura de aldea había aprendido suficiente latín, aunque bien mirado, de todos modos no sabía demasiado, como para figurar con honor en el noviciado. De mi persona se alababan ciertas facultades harto propicias. ¿Y qué saqué de ello? Pues nada. ¿Para qué me sirvieron? Para acabar como portero. ¡Magnífico avance! como pueden valorar.

Se que es tarea que corresponde a un escritor leal guiar al lector ordenadamente, año tras año, hasta llegar a la teología; me vería primero como novicio, después como profeso y al final como un venerable padre. Tendría mil cosas bellas que contarle; pero las cosas bellas sólo nos agradan en la medida en que nos interesan. En realidad, ¿Qué interés puede uno tener en ver a un pendejo como yo discutir con todos y contra todos, en verle poner en aprietos el buen sentido y la razón con argumentos barrocos, con distinciones sutiles que él mismo no comprendería? Me eximo de semejante tarea.

Con todo, siento que no podría pasar por alto un período de tiempo tan largo sin mencionar algunas menudencias, Mi estancia en el convento había arrojado luz a mi espíritu: era consciente, aun a mi pesar, que si bien el placer había sido creado para los monjes, no lo había sido para los frailecillos. Arrepentido de haber hecho los votos y deseoso al mismo tiempo de llegar cuanto antes al sacerdocio, que consideraba como el final de mis sufrimientos, me dejaba adormecer por el Prior, quien me vengaba de los desprecios sufridos por ser hijo de un jardinero y aventajar en los estudios a los otros de procedencia menos innoble que yo.

Se me habían reprochado tantas veces mis orígenes que sentía vergüenza de ellos. Antoñita se había convertido a mis ojos en un fruto prohibido; rodeada siempre por los superiores, ¿cómo iba a ser accesible a un novicio? Para colmo, no tenía noticias de Suzon; se había esfumado de la casa de la señora de Dinville después de que yo entrara en los celestinos. No había vuelto a saber nada más de ella. Su pérdida me había sumido en el dolor y la soledad más absoluta; la amaba profundamente. Algo misterioso y sutil más fuerte que yo mismo me unía a ella. Me entristecía profundamente la vista de los lugares en los que un día la contemplara, en los que nuestros corazones libraron la primera batalla amorosa. Felices recuerdos, ¡cuán caro pagaba vuestra ausencia! Aunque erráticas y sin objeto, estas ideas me asaltaban con permanente dolor y producían en mi un hondo desasosiego que me turbaba.

Pero, qué muchacho tan ocioso, se dirá; ¿a qué os dedicabais, pobre Saturnino? Pues me la meneaba y era así como olvidaba mis penas, no sabía como ahogar tal congoja.

Al amparo de la soledad y creyéndome sin testigos, un día, dulcificaba mi amargura con indolencia voluptuosa. Un monje malicioso me estaba observando; no era uno de mis amigos. Creí por un instante que los brazos se me caían del susto. Me quedé en esa postura expuesto a la malicia de sus miradas. Me creí perdido, pensé que el monje iba a pregonar mi aventura y su forma de abordarme no hizo más que aumentar mis temores:

—¡Vaya! ¡Vaya!, hermano Saturnino —me dijo—, no os creía capaz de tales cosas. ¡Vos, el modelo del convento! ¡Vos, el águila de la teología! Vos...

—¡Oh! ¡Demonio! —le interrumpí bruscamente— acabad con esos elogios irónicos; habéis visto cómo me la meneaba, regocijaos pues con todo el convento —continué—, traed aquí a quien queráis, os aguardo para la décima corrida, os invito a presenciar tan humana y aliviadora acción.

—Hermano Saturnino —reanudó con aplomo—, es por vuestro bien que os hablo: ¿por qué os la meneáis? ¡Tenemos aquí tantos novicios! Eso sí que es una diversión de hombre honesto...

—Sin duda que vos pertenecéis a esta clase —le dije irónicamente—.

Mirad, Padre Andrés, vuestro discurso me impacienta tanto como vuestros elogios. Largaos o...

La vivacidad con la que yo hablaba rompió su continente serio. Soltó una carcajada y tendiéndome la mano:

—Venga —me dijo—, chocadla, hermano; no pensaba que fueras tan bribón; no te la menees más: eres digno de mejor fortuna; deja esa carne tan sosa; te voy a mostrar algo mucho más sólido. Vamos —continuó—, palabra de honor; a eso de la medianoche iré a buscaros a vuestra habitación. Abrochaos los calzones, no echéis más vuestro polvo a los gorriones, lo vais a necesitar. Ahora os dejo; partid después de que yo lo haga; no conviene que nos vean juntos, podría sernos perjudicial. No olvide la cita.

El monje se alejó de mi lado y quedé en un estado de gran consternación a la par que extrañado. No hacia al caso, por lo tanto, seguir meneándomela. Obsesionado por su promesa, ya soñaba con ella sin comprender del todo su significado. ¿Qué querrá decir con lo de «esa carne» con la que desea obsequiarme? Si se trata de un novicio, no me apetece. En realidad razonaba como un perfecto idiota, porque nunca lo había probado. Lector, ¿estáis más aventajado de lo que yo lo estaba entonces? Si, decís: ¿no es verdad pues que no es precisamente un mal bocado? El prejuicio es un animal al que hay que enviar a pastar. El placer debe ser el único principio rector de todo ser humano. ¿Existe algo más encantador que un lindo garzón: blanco de piel, hombros bien formados, una hermosa caída de lomos, nalgas duras y redondas y con un culo de óvalo perfecto, estrecho, prieto, limpio, sin un pelo. Nada que ver con esos coñones, con esas grutas en los que uno entra a puntapiés. Te veo, censor atrabiliario, me reprochas mi inconstancia, ya que tan pronto elogio el coño como el culo. Entérate, bobalicón, la experiencia me ha enseñado a tirarme a una mujer cuando se me presenta y a tirarme a un hermoso y tierno muchacho si la ocasión lo requiere. Acudid a la escuela de los sabios de Grecia y frecuentad la de las gentes honestas de nuestro tiempo y aprenderéis a vivir. Pero mi monje está a punto de llegar; ya es medianoche, llaman a la puerta; es él:

—¡Bien! Vamos, padre, os sigo. ¿Pero dónde diablos me lleváis?

—A la iglesia.

—Os burláis: ¿para rezar? ¡Servidor se va a dormir! no me motiva nada ir al templo sagrado a estas horas de la noche.

—¡ Seguidme, demonios! ¿No veis que subo en dirección al órgano? ¡Ya estamos!

¿Sabéis lo que encontré allí? Una mesa bien provista, buen vino, tres monjes, tres novicios y una hermosa muchacha de veinte años, bella como un ángel. Marchaba tras mi gula. El Padre Casimiro era el jefe de la cuadrilla. Me recibió con afabilidad, estrechó mi mano calurosamente y me lanzó una mirada escueta y cómplice.

—Padre Saturnino —me dijo—, sed bienvenido. El Padre Andrés os ha encomiado profusamente: su protección lo demuestra. Joder, comer, reír y beber, en ello estriba toda nuestra ocupación aquí; ¿estáis dispuesto a hacer otro tanto?

–¡Pues claro! Sí –le respondí–, si se trata tan sólo de afirmar el honor del cuerpo, no me quedaré atrás; dicho sea de paso –continué dirigiéndome a la concurrencia– sin querer rebajar el mérito de Vuestras Reverencias.

–Magnífico, veo que vos sois de los nuestros –reanudó el Padre Casimiro sentaos aquí, entre esta preciosa criatura y yo; descorchemos una botella en honor al padre. ¡A vuestra salud, arriba!

Y empezamos a soplar. Y vos, lector, ¿qué vais a hacer mientras damos buena cuenta de estas botellas? ¡Tened! ¡Divertíos leyendo estas migajas! vamos pues, gocemos todos.

Se preguntarán sobre el aspecto del Padre Casimiro, les diré que era de estatura media, de rostro cetrino y vientre de prelado. Tenía unos ojos que le sodomizaban a uno a cien pasos y que sólo se humedecían a la vista de un apuesto muchacho. Entonces, el muy bribón, en celo, rebuznaba. Su pasión por el antifísico era tan impenitente que los saboyanos le temían. Podía caerse en sus redes con facilidad; era un autor y un espíritu ingenioso, según la moda de aquel tiempo: censor cáustico, escritor lacónico, de broma pesada y sarcasmo brutal. Se había hecho célebre por escritos cuyo único mérito era la maldad. El éxito de sus sátiras le consolaba de los bastonazos que le prodigaban de vez en cuando, era una persona que unos alababan y otros detestaban sin hallar gentes que sintieran indiferencia por él.

Sin embargo, hay que destacar que maltratarle de ese modo era un craso error porque, aunque las sátiras aparecían bajo su nombre, el pobre sacerdote no tenía que ver con ellas más que en la medida en que se afanaba en copiar los escritos de los que trabajaban acechados por su mirada vigilante. Cultivaba los discretos talentos que descubría en ellos, les distribuía la materia, revisaba su obra, la mandaba imprimir y todo ello recogiendo a veces frutos bien amargos. Aunque la cobardía no era uno de sus defectos y cual el avaro que se consuela de los abucheos del pueblo contemplando sus pilas de escudos, las risas que provocaba en el público gracias a «sus autores» le enjugaban las lágrimas que éstos le hacían verter en privado.

En el seno de la literatura, experimentaba el placer de satisfacerse sin salir de su gabinete: el culo de sus mozos colmaba sus deseos. A cambio de sus favores, les entregaba a su sobrina, y la sobrina pagaba la deuda. El portero del convento, que conocía la devoción del padre, se encargaba de que entrara de todo en abundancia: carne, vino, la muchacha, de todo sin excepción. Para tales orgías habían elegido el órgano, pues no era fácil sospechar que pasaban la noche en la iglesia. Además, el hecho de que pudiera asistiese a los oficios, atajaba cualquier habladuría.

A pesar del cuidado que tomaba el Padre Casimiro para retener a sus alumnos, siempre se le escapaba alguno; os diré la razón: a veces la ingratitud es el precio de la obligación. Estos desertores utilizaban contra el sacerdote los métodos para atacar al prójimo que él mismo les había enseñado. A uno de ellos le inspiró el siguiente poema:

Un día, don Happecon, más arrogante que un gallo,
Harto de sentir la polla más erguida que una astilla,
Salió de su convento, embutido en la cogulla
A casa de la Desiré a buscar una chiquilla.
El bribonazo que sólo follaba timando
Para quien cinco o seis polvos eran una nadería
Creyó que en sólo meterla la cosa consistía
Y se sacó el artefacto de debajo del manto.
—Hermoso —dijo la puta—, pero enváinalo otra vez,—
Pues aquí se empieza por pagar con esplendidez:
Aquí se vive de la jodienda como en palacio de las contiendas.
El pater, consternado por tan podrido desafío,
Se fue, falto de dinero, de este pilar del vicio
Corriendo, desesperado, a meterla a los novicios.

Debo reconocer que no hubiera sabido terminar mejor. La sobrina del Padre Casimiro era morena, vivaracha y menuda. A primera vista nada del otro mundo, pero un examen la resarcía de tal severo juicio. La joven sacaba buen partido de sus pechos que manejaba airosamente, aunque no pueda decirse que fueran de una belleza sin tacha. Eran sus ojos pequeñitos y negros posaban sobre uno miradas festivas guiadas por la coquetería más refinada. Fascinaba por la travesura y la sal de sus picardías. En una palabra, era a lo máximo a lo que uno puede aspirar para alcanzar el día sin darse cuenta de que ha pasado la noche y con ello festejar el paso del tiempo de la manera más natural y festiva de cuantas haya.

Tan pronto me hallé cerca de esa graciosa criatura, sentí que se renovaba la agitación que otrora experimentara cuando el azar me hacía tropezar con Antoñita y el Padre Policarpo, pocas semanas antes.

La larga privación de placer me había creado, por decirlo de alguna forma, una segunda naturaleza, susceptible de impresiones igualmente estimulantes y sabrosas; volvía a empezar a vivir, y así lo creía convencido de que volvería a vivir para el gozo corporal.

Miraba a mi preciosa vecina, y su aspecto risueño y sumiso me dejaba adivinar que mis deseos dormitarían sólo hasta que mi simplicidad se resistiera a manifestarlos. Advertí que no era precisamente el deseo de ejercer de vestal lo que la había llevado a la compañía de los monjes; pero la felicidad que parecía prometerme se me antojaba tan inmensa, que a duras penas mi mente la concebía. Temblaba y, por el temor de que se me escapara, casi no atinaba en la forma de solicitarla. Tenía yo la mano sobre su muslo, que ella apretaba contra el mío; notó que la cogía y la pasaba por entre la abertura de sus enaguas; percatándome de su propósito, inmediatamente llevé el dedo al lugar que ella deseaba. Tocarla en una parte del cuerpo, que me había estado vetada durante tanto tiempo, me causó un estremecimiento de alegría que fue percibido por la banda de monjes, que me gritaron:

—¡Valor, Padre Saturnino! ¡no quede mal ante ella!

Tal vez me habría desconcertado el oír semejante exclamación, si Mariana (éste era el nombre de nuestra diosa), no me hubiera besado en el acto y desabotonado con una mano el calzón, mientras pasaba el otro brazo alrededor de mi cuello; empuñando mi polla que empezaba a cobrar vida propia:

—¡Oh, padres! —gritó mostrándola a la concurrencia—, ¿tenéis vosotros una hermosura así de grande y gruesa? De estas he tenido pocas entre mis piernas.

Se levantó un murmullo de admiración y todos la felicitaron por la dicha que pronto disfrutaría. Ella no cabía de contento por su inmensa suerte.

Entonces el Padre Casimiro impuso el silencio a su tropa y me dirigió la palabra:

—Padre Saturnino —me dijo—, disponed de Mariana; la veis con vuestros propios ojos, así que podéis eximirme de su elogio. Es muy ardorosa e insaciable; os regalará con todos los placeres imaginable, y se que tenéis el coraje adecuado para satisfacer los requerimientos de la exdoncella. Pero de sus placeres gozaréis bajo una condición.

—¿Qué clase de condición? —le respondí—, ¿debo daros mi sangre?

—No.

—¿Qué, entonces?

—Vuestro culo.

—¿Mi culo? ¡Eh! ¿Y qué diablos haréis con él?

—¡Oh! Dejadlo de mi cuenta —respondió.

El gran y ardoroso deseo que sentía de abrazar a Mariana evitó una mayor insistencia por mi parte. Nos pusimos en postura. Un banco nos

111

sirvió de soporte; me tendí sobre ella, el padre sobre mí, Aunque Casimiro me desgarraba las entrañas, el placer que experimentaba con su sobrina trocaba el dolor en gozo. Pronto nadábamos todos en un mar de delicias. Si en algún momento el extremo placer me hacía desfallecer en mi labor, el Padre Casimiro me reanimaba exhortándome a seguir su ejemplo. Así embestido y embistiendo, las acometidas del tío resonaban en el coño de la sobrina que ora moribunda, ora resucitada, causaba sensación entre la concurrencia. Hacía ya un buen rato que habíamos dejado atrás al Padre Casimiro que, sorprendido por la porfía del combate, se unía a la admiración del resto de la compañía. Yo, por mi parte, no cabía en mi asombro al comprobar que Mariana no me iba a la zaga, a mí, que creía haber acumulado en ese momento todas las fuerzas reservadas durante tanto tiempo. Y ella, que hubiera desarmado al más vigoroso y potente caballero, parecía fuera de sí a causa de mi coraje; el esperma fluía por todas partes. Nos habíamos corrido ya cuatro veces cuando Mariana, los ojos cerrados y la cabeza baja, esperó, inmóvil, a que le diera el golpe de gracia con una quinta descarga. La recibió y, tras haberla saboreado unos minutos, se me escapó de las manos firmando así su rendición. Orgulloso de mi victoria, le escancié un vaso, me serví yo otro y sellamos con vino nuestra reconciliación.

Concluida la batalla, cada uno volvió a su sitio y Casimiro pronunció un discurso elogioso de la granjería. Como poseía un conocimiento profundo de la materia, habló hasta por los codos: pasó revista a todos los bribones célebres nombrando entre ellos a filósofos, papas, emperadores, cardenales. Se remontó a la historia de Sodoma y sostuvo que la envidia había sido el motivo de la falsificación de este memorable evento. De repente, mitigándose su entusiasmo, terminó el panegírico con el siguiente poema:

Callaos, censores Indómitos,
Confundid a los idiotas con vuestras necias voces
Pero no vayáis a hojear en la página del tiempo
Osáis vosotros, ignorantes reptiles
De los escritores más hábiles

Alterar su belleza y corromper su sentido.
Sodoma: no es, con certeza, por un soplo funesto
Que tus felices habitantes fueron consumidos
Es por un fuego divino, es por un fuego celeste:
Sodoma, ¡quién hubiera sido uno de tus hijos!

Sonoros aplausos coronaron el discurso del padre, quien estaba seguro de recibirlo de los asistentes por tratarse de un tema que les resultaba especialmente grato. Seguimos jodiendo aún un buen rato, bebimos, bromeamos y nos despedimos con la promesa de volvernos a reunir al cabo de ocho días: las ganancias del Padre Casimiro, que despilfarraba con regularidad, no habrían bastado para más. Mariana y yo nos separamos como los mejores amigos, La pobre muchacha no tardó en darse cuenta de que jugar conmigo era jugar con fuego: en poco tiempo su cintura se ensanchó, y a mí me atribuyeron la gloria. El Padre Casimiro se encargó de llevar el asunto en el mayor de los secretos; era justo que sobre sus espaldas recayeran los riesgos del azar al que sometía a su sobrina. La muchacha salió airosa del apuro, y todo habría ido de perlas si este inesperado embarazo no hubiera supuesto un obstáculo para nuestras asambleas nocturnas. Traté de seguir los consejos del Padre Casimiro y, tomando su ejemplo, pronto fui el terror del culo de todos y cada uno de los novicios; pero en poco tiempo volví a caer en los antiguos errores y abandoné los placeres de Sodoma por los naturales, que empezaba ya a añorar.

Después de haber cantado mi primera misa, el Prior me mandó aviso para que fuera a cenar a su habitación. Allí me dirigí y encontré en su compañía a unos cuantos ancianos que me recibieron, igual que el Prior, con efusivos abrazos, sin que yo acertara a comprender la causa. Nos sentamos a la mesa y nos dimos una comida de Prior: con eso está dicho todo. Cuando el vino, que Su Reverencia había tenido la prudencia de no escoger de la peor cosecha, inundó de alegría la conversación, no cabía yo en mi asombro al oír a mis deanes hablar como carreteros, soltar los co... y los jo... con un descaro que nunca habría imaginado en personas a las que siempre había visto bajo la máscara de la mesura.

Al notar mi extrañeza, el Prior me dijo:

—Padre Saturnino, nosotros no sentimos apuro alguno ante vuestra presencia, ya es hora de que vos tampoco lo sintáis en la nuestra; sí, hijo mío, ha llegado esa hora. Habéis recibido las órdenes sacerdotales, atributo que os conviete hoy en nuestro igual y que me obliga a revelaras secretos importantes, hasta el presente ocultos a vuestra persona, y que sería peligroso confiar a los más jóvenes, pues podrían írsenos de las manos y divulgar ciertos misterios que deben ser sepultados en un silencio eterno; os he hecho venir para cumplir con esta obligación mía.

Este locuaz exordio atrajo mi atención; el Prior continuó:

—Vos no sois de esa clase de personas débiles a los que la jodienda asusta; el acto de joder es connatural al hombre. Somos monjes, es verdad, pero cuando hacemos los votos, exceptuamos la polla y los cojones. ¿Por qué prohibirnos una función tan natural? ¿Debemos tal vez, para suscitar la compasión de nuestro fieles,. ir a meneársela a las calles? No: hay que saber mantener el justo medio entre la austeridad y la naturaleza, lo que significa dar libre curso a esta última en los claustros y el máximo de austeridad al mundo, A este efecto, en los conventos bien dispuestos, viven algunas mujeres con las cuales uno puede gozar; en sus brazos y con ello podemos olvidar los artificiales y estúpidos rigores de la penitencia absurda e insensata.

—Reverendo, me sorprendéis —le dije—. ¿Por qué tan bella milicia no extiende también su sabiduría sobre nosotros?

Nuestros comensales rieron y el prior me respondió:

—No somos más tontos que los otros; tenemos aquí un lugar donde no faltan mujeres,

—¡Aquí! —exclamé—, ¿y no teméis que se descubra? —No —dijo—, eso es imposible; las dimensiones de nuestro edificio son tan vastas que es imposible que alguien se percate de ello.

–¡Diablos! –grité–, ¿cuándo me será permitido ir a consolar a esas amables reclusas?

–Precisamente de consuelo no carecen –me respondió riendo–, y vuestra dignidad de sacerdote os concede el derecho de rendirles visita cuando queráis.

–¿Cuando quiera? ¡Ah, reverendo!, os conmino desde este momento a mantener vuestra palabra por siempre.

–Aún no ha llegado la hora propicia; a la piscina, que es el aposento de nuestras hermanas, se entra únicamente al atardecer. Nadie tiene la llave de ese lugar; en realidad, existen dos: una en manos del Padre Refitolero, otra en las mías. –Esto no es todo, Padre Saturnino –continuó el Prior –os quedaréis de una pieza cuando os enteréis de que no sois hijo de Ambrosio –en efecto, me quedé boquiabierto al oír esta noticia, faltándome fuerzas para abrir la boca–. No sois el hijo de Ambrosio –prosiguió el Prior–, ni el de Antoñita; vuestro origen es más elevado. Nuestra piscina os ha visto nacer. Una de nuestras hermanas os dio a luz.

–Si es así –grité recobrándome de la sorpresa–, ¿por qué siempre me habéis privado de la dulce satisfacción de abrazar a mi madre si aún vive?

–Padre Saturnino –me dijo el Prior enternecido–, vuestros reproches son justos; pero creedme, no es por falta de afecto que se os ha prohibido la entrada a nuestra piscina hasta ahora. El amor que sentimos por vos batalla desde hace mucho tiempo contra nuestras reglas; pero el orden es siempre necesario y hoy ha llegado la hora de terminar con vuestras quejas. A partir de ahora se verán colmados vuestros deseos, abrazaréis a vuestra madre.

–¡Cuán impaciente estoy –exclamé– de verme entre sus brazos!

–Moderaos –me dijo–, no se os exige un largo sacrificio. Ya es noche entrada y llegará la hora sin que os deis cuenta, Cenaremos en la piscina; allí os aguardamos, No aparezcáis por el refectorio más que por decoro; vendréis a encontrarnos aquí.

El contento de ver a mi madre tenía un lugar en mi espíritu, pero la esperanza de entregarme al amor ofrecía a mi corazón una vehemencia de deseos que ni con el mayor esfuerzo de imaginación seria capaz de reproducir.

–¡Por fin ha llegado –me decía para mis adentros–, ese momento tan deseado! ¡Y quéjate de tu suerte, feliz Saturnino! ¿En qué otro estado habrías encontrado lo que te han anunciado hoy?

Partí al lugar indicado a la hora convenida, regresé donde el Prior y allí vi reunidos a cinco o seis monjes. Partimos en un silencio sepulcral. Nos dirigimos hacia las antiguas capillas que servían de muralla a la piscina por uno de sus lados; bajamos a oscuras a una cava, cuya lobreguez parecía haber sido dispuesta para añadir nuevo encanto al placer que debía seguirle. Este sótano, que atravesamos con la ayuda de una cuerda pegada contra el muro, nos condujo hasta una escalera iluminada por una lámpara. El Prior abrió la puerta que cerraba esta escalera. Entramos, no sin hacer antes un breve rodeo: en una sala graciosamente amueblada, alrededor de la cual se habían dispuesto unos lechos destinados a resistir los combates de Venus. Asistimos a los preparativos de una suculenta cena. Aún no había llegado nadie, pero el tañido de una campanilla que el Prior tiró, apareció una anciana cocinera seguida de seis encantadoras monjitas. Cada uno eligió a cada una; yo fui el único testigo de sus delicias amorosas y me sentía algo molesto por su aparente indiferencia para conmigo; pero pronto llegó mi turno y me resarcí con creces del apetito voraz que mi cuerpo denunciaba.

La vigilia no era más observada en la piscina que en la comida del Padre Casimiro. Las viandas más exquisitas fueron servidas con toda pulcritud: cada uno, junto a su bella, comía, bebía, retozaba, echaba sus parrafitos. Se metían conmigo por mi falta de apetito y yo trataba de defenderme, a duras penas, ofuscado sólo por el deseo de hallar a mi madre, o más bien por el de batallar con algunas de nuestras hermanas. Buscaba con la mirada a la que me había puesto en el mundo: el aspecto joven y fresco que de todas ellas emanaba no me sugería que alguna de ellas pudiera ser mi madre. Aunque ocupadas con los monjes, me echaban unas miradas que no hacían sino aumentar mi confusión. Me imaginaba, necio de mi, que reconocería a mi progenitora por el respeto, por la ternura que me inspiraría su presencia; pero todas me turbaban y, en honor de todas y cada una de ellas, me empalmaba mi miembro parecía tener vida propia.

Mi inquietud regocijaba sobremanera a toda aquella cofradía. Cuando se ha contentado el estómago, la jodienda es el postre perfecto. Los ojos de nuestras bellas brillaban como brasas y yo, en calidad de nuevo invitado, fui empujado a iniciar la danza.

–Vamos, Padre Saturnino –me dijo el Prior–, debes medir fuerzas con la hermana Gabriela, tu vecina, de mesa.

Habíamos hecho ya un preludio con besos dados y recibidos; su mano había llegado hasta mis calzones y, aunque era la menos joven de la fiesta, le había descubierto suficientes encantos como para no envidiar la suerte de otros. Era una rubia gorda cuyo único defecto era su exceso de carnes. Su piel era de una blancura deslumbrante; tenía la más bella cabellera del mundo y sus ojos grandes y rasgados, aún tiernos y lánguidos por la pasión, eran vivos y brillantes, hechos para el placer.

La exhortación del Prior no se había anticipado a mis deseos; Gabriela los había ya enardecido y prestado con galanura a satisfacerlos.

–Ven, rey mío –me dijo–, quiero hacerme con tu virginidad. ¡Ven a perderla al lugar donde recibiste la vida!

Tras estas palabras, temblé. Aun perdida la virtud, había adquirido con los monjes ciertos conocimientos que no me permitían comportarme con Gabriela como lo hiciera con Antoñita, no me parecía adecuado.

La vergüenza me detenía; retrocedía.

–¡Oh, cielos! –dijo Gabriela–, ¿es posible que éste sea mi hijo? ¿He alumbrado yo a semejante gallina? ¡Tiene miedo de hacer el amor con su madre!

—Querida Gabriela —le dije abrazándola—, contentaos con mi amor; si no fuerais mi madre, me sentirla feliz de poseeros; perdonadme esta debilidad que no puedo vencer.

La apariencia de virtud es respetada hasta en los corazones más corrompidos. Mi actitud fue loada por los monjes; reconocieron su error. Sólo uno se aventuró a dar algunos argumentos convincentes.

—Pobre diablo —me dijo—, ¿por qué te asustas de una acción tan indiferente? ¿No es la jodienda la conjunción de un hombre y una mujer? Esta conjunción o bien es natural o bien está prohibida por la naturaleza. Pues es natural, porque una fuerza invencible arroja a unos en brazos de otros. Y si esta fuerza reside en su corazón, el dictamen de la naturaleza es que se satisfaga indistintamente. Si Dios ordenó a nuestros primeros padres crecer y multiplicarse, ¿cómo entendía que se llevase a cabo esta multiplicación? Adán tenía hijas, se las follaba. Eva tenía hijos que hacían con ella lo mismo que su padre con sus hermanas. Llegamos al diluvio. No quedaba en el mundo más que la familia de Noé; fue menester que el hermano se acostara con la hermana, el hijo con su madre, el padre con su hija, para repoblar la tierra. Vayamos más lejos; Loth huyó de Sodoma; sus hijas, que tenían ante sus propios ojos la intención del Creador y que acababan de ver a su buena madre convertida en estatua de sal por un exceso de curiosidad, exclamaron con gran amargura de corazón: ¡Ay! ¿Es esto el fin del mundo? Habrían sido culpables a los ojos de Dios si no hubieran restablecido lo que él habla destruido recientemente, y Loth, iluminado por esta verdad, contribuyó en la medida de sus fuerzas a la empresa. Este era el estado primigenio de la naturaleza. Los hombres, sometidos a sus leyes, se impusieron el deber de seguirlas; pero no tardaron en forzar la voluntad de esta dulce madre, corrompidos por diversas pasiones. No quisieron permanecer en el estado feliz en que habían sido ubicados. Armaron un auténtico desbarajuste, se forjaron unas quimeras que calificaron de virtudes y vicios, inventaron leyes que, en vez de concurrir al nacimiento de la virtud, engendraron esos vicios. Estas leyes han creado los prejuicios y estos prejuicios, aceptados por los idiotas y soplados por los sabios, se han ido fortificando siglo tras siglo. Se hizo necesario que estos impertinentes legisladores contravinieran las leyes de la naturaleza para recomponer los corazones que un día ella nos dio; se hizo necesario que reglamentaran nuestros deseos, que les pusieran límites. En el fondo de nuestro corazón, la naturaleza sigue clamando contra la injusticia de estas leyes. En una palabra, la jodienda indiscriminado es de origen divino, en tanto que la jodienda discriminada es de origen humano. La una está por encima de la otra tanto como el cielo elevado sobre la tierra. ¿Acaso se puede escuchar al hombre antes que a Dios sin incurrir en el crimen? No, no, y San Pablo, intérprete sagrado de la voluntad del Cielo, ha afirmado: Antes que abrasaros, joded, hijos míos, joded. Es cierto que, para no atentar contra la debilidad de los espíritus pobres, aplica un correctivo a su pensamiento y se sirve de la expresión: Casaos, pero en realidad es lo mismo. Uno no se casa si no es para joder. ¡Ah! ¡Cuántas cosas podría aún añadir si no me sintiera apremiado por seguir el ejemplo de San Pablo!

Reímos ante la ocurrencia del padre; ya se levantaba el muy bellaco y, polla en mano, amenazaba a todos los coños presentes, cuando:

–¡Esperad! –dijo una hermana llamada Madelón–. Se me ha ocurrido una idea para castigar a Saturnino.

–¿Cuál? –le preguntamos.

–Consiste –respondió–, en hacerle acostar boca abajo. Gabriela se tenderá sobre su espalda y el padre, que acaba de hablar como un oráculo, se tirará a Gabriela.

Estallaron las risas; también yo me reí y dije consentir, a condición de que mientras el padre jodia sobre mis espaldas, yo jodería con la que había emitido esta opinión.

–Acepto –afirmó–, por lo singular del caso.

La reunión iba subiendo de tono por momentos, todos aplaudieron; nos colocamos en posición. ¡Imaginaos qué espectáculo dimos! Cada embestida que el sacerdote le clavaba a mi madre, ésta la devolvía al instante y su espalda, al caer sobre la mía, me obligaba a hundirme en el coño de Madelón, lo que formaba un cuadro de jodienda la mar de ameno. Podría haberme vengado de Madelán dejando caer el peso de los tres cuerpos, sobre el suyo, pero ella era tan amorosa y se afanaba de tan buena fe que no me dejó lugar para esta idea. Al contrario, yo la aliviaba de la carga en la medida de lo posible. Por otra parte, para ella supuso mas bien un acrecentamiento de la voluptuosidad porque, como nos corrimos antes que nuestros amantes de arriba, el placer nos inmovilizó y Gabriela, que lo advirtió, repetía con vivacidad sus arremetidas haciendo por mí lo que yo ya no podía y provocando en Madelón nuevos y gozosos estremecimientos hasta que ésta volvió a correrse también. Nuestros compañeros terminaron, sumando su éxtasis al nuestro. Nuestros cuerpos fueron uno solo y, al movernos, nos confundimos todos con todos fue algo irrepetible y hermosísimo.

El elogio que hicimos de esta forma de saborear el placer excitó a monjas y monjes. Se dispusieron a follar en cuartetos —es el nombre que le dimos a esta postura— y nosotros a darles ejemplo. Así es como los descubrimientos más preciosos son, a menudo, fruto del azar.

Gabriela, deslumbrada por la invención, confesó haber gozado tanto como cuando me concibió. Curiosos por saber cómo había sido la historia, le rogamos que nos la contara.

—Consiento en ello —nos dijo— y tanto más de buen grado, por cuanto Saturnino sólo conoce a su madre, ignorando de dónde procede esta mujer y qué hace aquí. Permitidme, reverendos, que le ponga al corriente.

—Amigo mío —continuó dirigiéndome la palabra— no podrás jactarte de una larga serie de ancestros: nunca conocí a ninguno. Soy hija de una arrendadora de sillas que trabajaba para este convento y, sin duda, de alguno de los padres que vivían por aquel entonces, pues la mujer era demasiado devota del convento como para creer que pudiera ser hija del buenazo de su marido con quien apenas tenía tratos.

A los dieciséis años hacía ya honor a mi sangre; conocía el amor antes de que el amor me conociera a mí y los monjes cultivaron mis felices inclinaciones. Un joven profesor me dio las primeras lecciones y habría pensado que pagaba a mi prójimo con la ingratitud si no le hubiera mostrado que también yo podía darle algunas. Había ya cumplido mi deber con todos y cada uno de ellos, cuando me propusieron colocarme en un lugar donde podría renovar mis pagos con la frecuencia que deseara. Hasta ese momento no había podido hacerlo más que a la chita callando: la idea de la libertad me halagaba; acepté y aquí estoy.

El día que entré en el convento iba engalanada como una novia camino del altar. La idea de la próxima felicidad inundaba mi rostro de una serenidad que embrujaba a todos los monjes. A todos se les encendía la sangre al verme y todos se disputaban el honor de metérmela. Me di cuenta al momento como terminaría mi festín de boda.

–Reverendos –les dije–, vuestro número no me asusta; pero quizá presumo demasiado de mis fuerzas y podría sucumbir: vosotros sois veinte, la partida no es proporcional; os propongo un trato. Desnudémonos todos.

Y para dar ejemplo, empecé la primera. Vestido, corsé, camisa; todo saltó por los aires como por arte de birlibirloque. Vi que todos se hallaban en el mismo traje de Adán que yo, incluidas mis hermanas. Gocé por unos instantes del grato espectáculo de veinte pollas erectas, gruesas, largas, duras como el hierro, prestas para el encarnizado combate que prometía gloria.

–Vamos –dije–, ya es hora de empezar. Voy a tenderme en este lecho; me abriré de piernas para que acudiendo hacia mí, polla en mano, me la vayáis metiendo uno tras otro, pues será el azar quien imponga el compás, de modo que los torpes no tendrán derecho a queja; si fallan conmigo, encontrarán coños dispuestos sobre los que descargar su enojo. Y ésta es mi propuesta, señores si son valientes empuñen su arma.

Todos aplaudieron esta feliz invención de mi fantasía. Lo echamos a suertes con un aro y corren a mí: uno dos, tres pasan sin metérmela, echándose después sobre mis hermanas que les ayudaban a olvidar su desgracia con toda suerte de placeres. Acude un cuarto; era usted, Padre

Prior. ¡Ah!, os pagué vuestra destreza con los transportes más enardecidos; y, si es cierto que correrse al mismo tiempo y el placer que con ello se experimenta facilita la concepción, compartís la gloria de haber hecho a Saturnino con los cuatro o cinco que os seguían.

Sí, amigo mío –continuó dirigiéndose a mí–, tienes ventaja sobre otros muchos hombres, que pueden decir en qué día nacieron, pero no en qué día fueron hechos.

De esta naturaleza eran las conversaciones que manteníamos en la piscina y tales eran los placeres de los que disfrutábamos. Nunca era el último en llegar. Cada noche acudía donde el Prior o donde el Refitolero; era infatigable, el que llevaba la batuta de la alegre banda. En suma, el alma y el duende de la piscina–, todos, hasta las viejas, cataban las excelencias de mi incansable polla. No obstante, más de una vez, en medio del gusto y solaz, me asaltaba la reflexión; todas nuestras hermanas parecían contentas de su suerte. Yo no podía entender cómo unas mujeres de naturaleza tan fogosa y disipada aceptaban, sin espanto, pasar sus días en semejante retiro con gusto y recreo por unos placeres comprados a cambio de la esclavitud eterna. Se reían de mi asombro y no les cabía en la cabeza que yo pudiera concebir tales ideas.

–Un día una de las monjas, extremadamente bonita, me dijo riendo: poco conoces nuestro temperamento si crees que somos perpetuas esclavas de nuestro retiro. El libertinaje, fruto engañoso de una educación cuidada, las había arrojado a los brazos de nuestros monjes–, ¿no es verdad –comentaba– que es más natural ser sensible al bien que al mal? –Yo lo admitía–. ¿Te negarías –proseguía–, a sacrificar una hora del día al dolor si te aseguraran que al cabo de una hora gozarías ilimitadamente?

–No, seguro –le dije.

–Veo que lo entiendes, bien –continuó–, en vez de una hora, supón un día; de dos días, uno sería para el goce; otro, para el dolor. Te creo demasiado sensato como para rechazar una oferta semejante. Te digo más: ni el hombre más flemático la rechazaría y la razón es de lo más natural. El placer es el móvil principal de todos los actos humanos; se enmascara bajo mil nombres diferentes, atendiendo a los diferentes caracteres. Las mujeres tenemos en común con vosotros todos los caracteres posibles, pero os aventajan en esa impresión victoriosa del placer amoroso. Incluso las acciones menos significativas, los pensamientos más serios, nacen de esta fuente y llevan siempre, aun cuando se disfrazan, el sello de su procedencia. La naturaleza nos ha señalado con deseos mucho más exasperados y, en consecuencia, mucho más difíciles de satisfacer que los vuestros. Unas cuantas embestidas son suficientes para abatir a un hombre, mientras que a nosotras quizás sólo nos han animado; digamos seis: una mujer no retrocede más que llegando a doce o catorce. El sentido del placer es pues al menos, doblemente más intenso en una mujer que en un hombre y, si tú te sintieras feliz de poder pagar un día de contento por un día de pena, ¿te parecería extraño que yo ofreciera hasta dos? ¿Te sorprendería que pasara dos tercios de mi vida en el dolor para gozar de uno? Ya he ajustado las cosas entre nosotros: cuando nos ves de continuo dedicadas a esta tarea que causa soberano deleite en toda mujer, cuando retozamos de continuo en vuestros brazos, dime, ¿crees tú que damos en pensar que la pena tiene algún poder sobre nosotras? ¿No piensas que nuestro estado es mil veces más dichoso que el de esas muchachas imprudentes que, nacidas con inclinaciones tan vehementes como la de las otras mujeres, sufren en soledad los deseos que nunca serán colmados por los abrazos de un hombre? Ningún motivo de queja tenemos en este lugar. Libres de las inquietudes del mundo, no conocemos sino lo agradable; no probamos del amor sino lo placentero y no distinguimos entre un día y otro sino es por la diversidad de goces que nos proporcionan, Desengáñate, Padre Saturnino, si es que un día creíste que somos desgraciadas.

No había esperado hallar meditaciones tan acertadas en una muchacha a la que consideraba entregada de lleno y exclusivamente al placer. Yo, nacido para gustarlo, aproveché esta favorable inclinación y, abandonándonos en ella, nos satisficimos a voluntad.

Pero por desgracia está claro que el hombre no ha nacido para ser eternamente feliz; fui cayendo en un estado de progresivo embobamiento. Había sido en la jodienda lo que Alejandro en la ambición: ansiaba joder toda la tierra y después de ella un nuevo mundo. Durante seis meses seguidos me había alzado con la palma en los combates amorosos, ¿qué ocurrió pues que de ser el más bravo pasé a ser el más cobardón? Sin duda alguna, la costumbre del placer había limado el pico de su intensidad y me sentía con las seis monjas como un marido con su esposa. Pronto la enfermedad del espíritu influyó en el cuerpo; los reproches que se me hacían a este respecto apenas si me resbalaban sobre el corazón, y era necesaria toda la ternura del Prior para animarme a acudir a las reuniones de la piscina. Este encargó a las hermanas mi curación: no escatimaron medios para ello. Emplearon, además de todos sus encantos naturales, las artes más sugestivas de la coquetería y la provocación.

Tan pronto se reunían a mi alrededor, se aprestaban a ofrecerme los cuadros más lascivos: una, recostada lánguidamente sobre un lecho, dejaba ver con fingida negligencia la mitad de su seno; una pierna bien torneada, unos muslos más blancos que la nieve prometían el coñito más hermoso del mundo; otra, tomando la actitud de una mujer dispuesta a guerrear, manifestaba con exageración el fuego que la consumía; y otras, en diferentes posturas, se acariciaban el clítoris y expresaban con suspiros el gozo experimentado y anunciaban la necesidad venidera.

Cuando quedaban desnudas, pasaban a presentarme las imágenes más esplendorosas de la voluptuosidad. Una, apoyada sobre un canapé, me enseñaba el reverso de la medalla y, pasándose una mano bajo el vientre, con los muslos separados, se masturbaba, de modo que a cada movimiento de su dedo saltaba a la vista el interior de esa parte que antaño me inspiraba tan viva emoción. Otra, acostada sobre un lecho recubierto de satén negro, me mostraba la imagen inversa; una tercera me obligaba a tenderme en tierra entre dos sillas y, poniendo un pie en una y un pie en la otra, se acuclillaba, de modo que su coño se encontraba perpendicular a mis ojos. La veía entonces afanarse con un consolador, en tanto que una de sus compañeras y un monje, desnudos, jodían ante mis ojos como dos posesos. En una palabra, me regalaban con las imágenes más lúbricas, ora todas de una vez, ora sucesivamente la carne ofrecida a mis ojos se me antojaba portentosa e insaciable.

En ocasiones, me acostaba completamente desnudo sobre un banco: una monja se colocaba a horcajadas sobre mi cuello, acariciándome el mentón con el pelo de su coño; una segunda se sentaba sobre mi vientre; una tercera sobre mis muslos y trataba de introducirse el miembro; una cuarta y una quinta se situaban a mis flancos, de forma que yo tenía un coño en cada mano; la sexta, en fin, la que lucía un pecho más hermoso, se ponía a mi cabeza e, inclinada, me apretujaba el rostro entre sus tetas. Todas se mostraban desnudas, todas se frotaban, todas se corrían. Mis manos, mi cuello, mi vientre, mis muslos, mi polla, todo se hallaba inundado, nadaba en su leche, pero la mía se negaba a unirse a la de ellas. Esta última ceremonia, llamada por excelencia La cuestión extraordinaria, resultó tan infructuosa como las anteriores: se me juzgó «hombre perdido» y se decidió dejar el caso en manos de la naturaleza, yo comenzaba a estar desolado.

Así estaban las cosas, cuando, paseándome un día por el jardín, solo, absorto en mi desgraciado destino, encontré al Padre Simeón, hombre profundo, que había encallecido en los placeres de Venus y de la mesa y que, igual que el viejo Néstor, había visto renovar el convento un sinfín de veces. Acudió a mí y, abrazándome con ternura, me dijo:

–¡Hijo mío! Vuestro dolor es inmenso, pero no desesperéis, quiero curaros. El exceso de libertinaje ha sido la causa de vuestro mal: hay que abrir vuestro apetito enfermo con algún plato suculento; una devota... eso es lo que necesitáis.

La intención que gastaba el cura me hizo reír.

–¿Os reís? –me dijo–. Pues os hablo seriamente. No conocéis a las devotas, ignoráis qué recursos pueden reservarnos para alumbrar de nuevo fuegos casi extinguidos. Hablo por experiencia propia. ¡Ay, qué tiempo aquel en que, dando golpes con mi polla sobre la mesa, resonaban las bóvedas del convento! ¿Qué ha sido de ti? Ya nadie habla del vigoroso Padre Simeón. No es más que un viejo cascado; la sangre se me ha helado en las venas, los cojones se me han secado, la polla encallecido: ¡todo muerto! nunca más seré el de antes.

Tenía ganas de estallar, pero el temor a ofenderle me contuvo:

–¡Oh, hijo mío! –prosiguió–, aprovechad vuestra juventud. El único medio para salir de vuestro letargo es poneros a régimen y haceros con una devota; pero, para ello, es necesario que tengáis permiso para confesar. Me encargo yo de obtenerlo de Monseñor, haga caso a un viejo experto, déjese ayudar.

Agradecí al Padre Simeón su interés por mi persona y, sin mucha fe en su secreta recomendación, le rogué, no obstante, que tomara cartas en el asunto; me prometió hacerlo con celeridad.

–Eso no es todo –continuó–, necesitáis ciertas indicaciones antes de entrar en esta nueva carrera, y yo os las daré.

Sabéis, hijo mío, que la confesión tiene su origen en nuestros ancestros, es decir en los antiguos sacerdotes y monjes. Siempre he admirado el genio vasto y profundo de estos hombres excelsos que inventaron la confesión. Tras este descubrimiento, todo ha cambiado de apariencia: los bienes nos han llovido, nuestras riquezas se han multiplicado a la sombra de este augusto tribunal humano.

¡Bendito sea Dios! ¡Amen!

En cuanto al cargo de confesor; debéis aprender a ser discreto, suave y condescendiente con las debilidades humanas, y las mujeres os adorarán. No comentaré nada sobre el provecho que podéis sacar de sus propicias disposiciones en relación a vuestro peculio, eso os atañe sólo a vos; pero os aconsejo desplumar implacablemente a las viejas beatas que vayan a vuestro confesionario, menos para reconciliarse con Dios que para contemplar a un apuesto y joven cura. Perdonad a las hermosas, como yo hacía: ellas podían pagarme de otra guisa, que con tan hermoso varón no dudan en excusar sus pecados.

Una muchacha, por ejemplo, no puede ofrecemos regalos, pero puede entregaros su preciosa virginidad. Hay que ser muy habilidoso para arrebatarle esa joya.

126

Fijaos en esas jóvenes devotas: podrán sanaros; no obstante, evitad consumíos sin medida a la excitación que podría preceder a los primeros síntomas de vuestra salud. Es menor el riesgo de declararse a una mujer aguerrida que el de hacerlo a una muchacha en quien la pasión aún no ha triunfado sobre los prejuicios de la educación. Una mujer os comprende con medias palabras; antes de que os expliquéis con claridad, ya ha andado la mitad del camino: no es lo mismo con una doncella, pero si bien es difícil vencer la batalla, la victoria es también más dulce. Os voy a enseñar el camino a seguir. En todas ellas, encontraréis una inclinación al amor. Lo sublime de este arte consiste en saber manejar tales inclinaciones. Aunque parezca una criatura modesta, de mirada baja y paso discreto, un fuego alienta bajo la ceniza ansioso de encenderse con el viento del amor. Hablad, no opondrá más que una débil resistencia a vuestros primeros ataques; insistid, la victoria será segura. Otras, cuyo temperamento sea menos vivaz, menos impetuoso, exigirán de vosotros más ejercicios de habilidad. Con éstas, alternad las caricias de amante con las amonestaciones de director espiritual; caldead su natural con discursos declamados artísticamente. Averiguad con astucia si realizan progresos en la ciencia de obtener el placer, alzad el velo que les ocultaba ignotas voluptuosidades, descubridles los misterios del amor, describidles cuadros que inciten su sensualidad, mostradles el placer en sus fases más seductoras para encender su deseo. Quizás objetaréis que es difícil triunfar en un arte tan peligroso: nada de eso, sólo es menester habilidad y destreza. Convengo que será arriesgado adular demasiado sus deseos, mas, ¿no es cierto que existen mil formas de conciliar su corazón y su razón? Que los cuadros del placer que les pintéis parezcan hechos menos para suscitarles el deseo que para apartarles de ellos; insistid en los placeres, sed escueto en sus consecuencias; la razón se opondrá en vano a la impresión que vuestros discursos produzca en su corazón. Aseguradles el perdón del Cielo, destruid sus prejuicios mundanos, obligadas a considerar cuán peligroso es conservar por mucho tiempo una flor que se marchita, que es dulce su recogida, que perderla es lo ideal. Añadid que hay mil secretos para evitar el embarazo. Examinad su rostro, lo veréis encendido. Dejad caer vuestra mano sobre sus tetas; apremiadas y no tardaréis en oír sus suspiros, fieles intérpretes de los sentimientos de su corazón. Sumad vuestros suspiros a los

127

suyos, aplicad un beso a su boca, brindaos a ser su paño de lágrimas, Abrir el corazón entraña lazos de confianza, uno ya no se ruboriza por ser débil entre los débiles; el consuelo es recíproco.

El discurso del Padre Simeón me había inflamado la imaginación; me había excitado tanto, que ya no dudaba de la posibilidad de algo que en un principio tomé a chanza.

Reiteré mi petición al padre, que no tardó en obtener lo que solicitamos.

Bebía los vientos por verme erigido en mediador entre los pecadores y el Padre Misericordioso. Me regocijaba por anticipado de la confesión que podría hacerme una muchacha tímida por haberse desahogado como el cuerpo se lo pedía. Me dirigí al confesionario para tomar posesión de mi cargo. Estaba ansioso por oír las palabras de los labios de tan tiernas doncellas.

Cuentan que existió un filósofo que tenía la manía de regresar a casa y quedarse encerrado todo el día si, al salir de ella por la mañana, la primera persona con la que tropezaba era una vieja. Si el ejemplo de este filósofo hubiera sido una norma para mí, habría abandonado el confesionario de inmediato; pero ofrecí resistencia y me armó de valor ante el aburrimiento que prometía causarme la confesión de una vieja que se presentó.

Enjugué pacientemente un diluvio de pamplinas que pagué con unas máximas de moralina tan consoladoras que mi vieja, encantada, se me hubiera echado a los brazos de contento si la rejilla no estuviera levantada entre nosotros. Como muestra de agradecimiento me consagró una devoción a prueba de cualquier tentativa de arrebatármela que pudieran hacer los demás directores espirituales. Soporté su arrebato en razón del provecho que pudiera sacarle. Buena para desplumar, me dije para mis adentros; pero antes hay que examinar el terreno. Era charlatana; me introduje en el capítulo familiar. Para empezar, terribles invectivas contra un desleal marido que se llevaba de la casa lo que le pertenecía a ella: herida en el punto más sensible; más invectivas contra su hijo, que seguía los pasos del padre. En cambio, para su hija, todo eran alabanzas, una hija cuya única ocupación y placer eran el trabajo y la oración.

–¡Ah, querida hermana! –exclamé en un tono de tartufo–, ¡cuán feliz os debéis sentir al veros revivir en una hija semejante! ¿Pero frecuenta esa alma santa nuestra iglesia? ¡Cuán edificante sería conocerla!

–La veis todos los días aquí –me respondió la vieja–, es tan bella como devota; pero, ¿puedo yo hablar de virtud ante vosotros, que sois hombres santos? Eso son insignificancias para vosotros.

–Querida hermana –proseguí–, ¿nos creéis tan injustos como para negarnos a admirar la hermosura de las obras del Creador, sobre todo cuando lo que poseen de mundano se ve compensado por virtudes celestiales?

Mi vieja, entusiasmada por el giro que había tomado mi curiosidad, me describió a su santa, a la que yo identifiqué con una morena apetitosa que venía a nuestros oficios. Padre Simeón, me dije para mis adentros, qué beatas tenemos; aprovechémonos de ésta: os puede convertir en todo un profeta. Por temor a espantar a la madre pospuse para una segunda sesión la tarea de atraer a la hija a las filas de mis penitentes, y le di la absolución tanto para el pasado como para el presente. Y se la hubiera dado hasta para el futuro, en caso de que me lo hubiera pedido: eso no cuesta nada. Con todo, la animé a que viniera a menudo a refrescarse a las aguas de la penitencia. Así terminó mi primera expedición.

Creo oiros gritar: Vamos, don Saturnino, ya estáis en buen camino; por lo que parece, ya estáis en vías de curación. Sí, lector, sí, la santidad del hábito que acababa de vestirme empezaba a surtir efecto. ¡Dios sea alabado! ¡Que la gracia sea todopoderosa! Trempo ya lo bastante como para creer que pronto tremparé mucho más.

Al día siguiente asistí al oficio sin falta; no es difícil imaginar por qué. Divisé a mi morena rezando con todo el fervor de su corazón. Mírala, me dije, ¡esa maravillosa criatura! ¡Ese modelo de todas las virtudes! ¡Ah, qué placer echar el diente a un bocado así! ¡Qué goce darle la primera

129

lección amorosa a semejante confite! ¡Vivat! Estoy curado, trempo como un carmelita (¿por qué no decir como un celestina?). Pero mi santurrona me mira: ¿le habrá hablado su madre de mí?

Me atormentaba la posibilidad de no poder transmitir a esa palomita el fuego que su vista encendía en mí, y abrigaba la esperanza de que mi habilidad me deparara una dicha que, sin embargo, fue el azar quien al cabo de unos días, me la proporcionó,

Un día salí del convento. Cuando regresé, el portero me dijo, al abrirme la puerta, que una joven dama me aguardaba para hablarme. Fui corriendo al locutorio; cual sería mi sorpresa al reconocer a mi beata en la joven dama. Al verme, se arrojó a mis pies.

—¡Tened piedad de mí! —me dijo llorando.

—¿Qué os ocurre? —le preguntó ayudándola a levantarse–. Hablad, el Señor es todo bondad, ve vuestras lágrimas, abrid vuestro corazón a su ministro.

Al intentar responder, se desvaneció en mis brazos. ¿Qué hacer? Iba a pedir socorro, cuando el buen juicio me dijo: ¿Dónde vas? ¿Puedes esperar una ocasión mejor? Me acerqué a mi santa, le aflojé las ropas, le descubrí el seno. Jamás se había ofrecido a mi vista un seno de igual belleza. Al retirarle el vestido y la camisa, creí abrir la puerta del paraíso. Clavé mis ojos sobre esos dos globos blancos y firmes como el mármol; los besaba, los estrujé, apreté mi boca contra la suya, transmití calor a su aliento. En fin, abracé amorosamente a mi devota. Una súbita agitación se hizo presa de mí.

De repente, apagando la candela, la vuelvo a coger en mis brazos y me dirijo a mi habitación con ese bulto en mis brazos. ¡Dios! ¡Cuán ligero era! La meto en mi cama, prendo una vela y la vuelvo a mirar. Descubro su seno, le alzo las faldas, le aparto los muslos; examino, admiro. ¡Qué espectáculo! El amor, las gracias, embellecerían su cuerpo. Blancura, lozana, firmeza, un encanto para la vista. Harto de admirar sin gozar, llevé mi boca y mis manos a lo que acababa de contemplar; pero apenas sí la había tocado, cuando mi devota suspiró y se palpó donde yo la estaba acariciando. La besé en la boca y ella trató de zafarse de mis brazos. Inquieta, quiere saber dónde se encuentra y quiere huir de mí. Yo opongo resistencia, la vuelvo a derribar; furiosa, se incorpora, me araña el rostro, muerde y golpea: nada me detiene. Apoyo mi pecho contra el suyo, mi vientre contra el suyo, y dejo que sus manos hagan todo lo que la furia les inspira, empleando yo la mía en separar sus muslos: los cierra con porfía, temo ser derrotado. La cólera acrecienta sus fuerzas, la pasión debilita las mías. Excitándome, las vuelvo a reunir, consigo abrirla de piernas, lanzo mi polla, la acerco, empuja, ¡entra! Y la furia de mi santurrona se desvanece, se ciñe a mí como una posesa, me besa, cierra los ojos y entra en éxtasis. Estoy fuera de mí, embisto y embisto, e inundo su gruta con un torrente de amoroso licor. Nos quedamos casi sin conciencia, embebidos los dos por el placer que nos embarga y nos embriaga.

Mi agradable amiga se recobra invitándome con sus caricias a que la vuelva a sumergir en un mar de delicias. Sus ojos languidecen, se enturbian, se extravían, su coño es un horno, mi polla arde como una brasa.

—¡Oh! —exclama—, el placer me ahoga; ¡me muero!

Todo su cuerpo se pone rígido y nos corremos otra vez...

Tras haber agotado las fuentes del placer, fui a la cocina a buscar una ligera colación. Regresé a mi habitación y encontré a mi devota sumida en la tristeza. La disipé con cariño y esperé a que hubiéramos terminado de comer para preguntarle por la causa de su aflicción. Cenamos procurando no hacer mucho ruido por temor a ser descubiertos y a que me confiscaran mi tesoro para que sirviera en la piscina, según las reglas de la orden, así de encendido y apasionado fue nuestro encuentro.

Como ambos estábamos extremadamente cansados, pensábamos más en un descanso que en una conversación. Cuando terminamos de cenar nos metimos en la cama: pero tan pronto contemplamos nuestra desnudez, se desvaneció la idea toqué el coño de mi santa, tocó ella mi polla que estaba en reposo: y admirando su grosor, su dureza: —¡Ah! —exclamó–, ¡no me sorprende que me hayas reconciliado con un placer que había decidido aborrecer! Estaba menos interesado en averiguar las causas de su aversión por el amor que en demostrarle, haciéndola gozar de nuevo, que se había equivocado en tomar una resolución de este tipo. Me recibió en sus brazos con una animación inexpresable. Casi no podíamos respirar de tan estrechamente abrazados como nos hallábamos: la cama no podía soportar nuestras sacudidas, seguía la impresión de nuestros cuerpos, crujía terriblemente. Una grata embriaguez colmó pronto nuestro empeño, nos adormecimos, acostados suavemente el uno sobre el otro.

Nos despertamos la mar de empalmados, no se si debido a lo que nuestra imaginación había destilado, una especie de líquido que anuncia el fuego interior, o quizá se debía a la postura o al hecho de habernos corrido maquinalmente. No tardamos en renovar nuestro deleite y me asistieron las suficientes fuerzas como para cumplir como un monje. No voy a revelar cuántas veces hice correrse a mi bella. Paso directamente a comunicarles el motivo por el cual la devota se había arrojado a mis brazos sin más miramientos.

Me consternaba una tristeza y una inquietud en su alma que era fácil de percibir en ella. Le supliqué con ternura que me explicara la causa y traté de persuadirla de que yo era la persona idónea para remediar su dolor.

–Mirándome con desaliento me dijo–, ¿Perderé tu corazón, querido Saturnino si te confieso que no eres el primero en hacerme gozar de los placeres del amor? Defiende mi corazón contra un temor al cual no puede resistir él solo y que tiende, aun a mi pesar, un velo de tristeza sobre mi rostro que no puedo ocultarte. Sí, es el único temor que me atormenta en este momento; mi suerte no me preocupa, puesto que estoy a tu lado y ello me hace sentirme fuerte y capaz de afrontar la vida.

–¿Te atreves –le respondí–, a desafiar los encantos que expones a mis ojos? ¡Qué poco conoces su precio si dudas de ese modo de su efecto? Si, el fuego que enciende en mí es demasiado intenso como para no sentirse indignado por un temor tan ridículo. ¡Qué poco me conoces! Si un prejuicio absurdo ha levantado una frontera entre una muchacha virgen y una muchacha desvirgada, este prejuicio no es mi norma, yo follo mentes no cuerpos.

La belleza, para fascinar a los otros, ¿debe perder entonces el derecho a fascinarnos? Aunque lo hubieras hecho con toda la tierra, ¿no seguirías siendo la misma, no seguirías siendo una muchacha adorable, seguirías siendo menos preciosa a mis ojos? ¿Las delicias que a otros han regalado han alterado la pasión de las que tú me acabas de regalar?

—Has arrasado con todos mis escrúpulos, querido Saturnino —me respondió—; ya no hay obstáculo alguno para que te explique ciertas desdichas que tú has aliviado hace un momento, eres un ser adorable.

Y me contó lo que sigue:

Querido amigo, mi desgracia tiene unas hondas raíces, su origen es mi corazón. Una inclinación invencible al placer me impulsa a respirar solo para él, vivo para el disfrute sin fin, para gozar de mis deseos.

La crueldad de una madre injusta me había confinado en un claustro. Era yo demasiado tímida para expresar mi disgusto por su decisión, sólo hablaba con lágrimas que no la enternecieron. Tomó el velo. Temblaba ante la idea del juramenteo que iba a hacer. El espanto de mi cárcel, la desesperación de ser privada de mi único bien me sumieron en una enfermedad que hubiera terminado con todas mis penas si mi madre, conmovida por mi estado, no se hubiera retractado de su dureza. Ella misma se alojaba en el convento donde yo debía tomar el hábito. Un primer proyecto de retiro la atrajo hacia ese lugar, mas una posterior meditación la apartó. Las mujeres no renuncian al placer y no envejecen sin aflicción; es un sentimiento natural que su denuedo puede disimular, pero que se halla clavado en su corazón. Mi madre, juzgando mi temperamento según el suyo propio, me sacó de mi celda y reapareció en el mundo conforme a una dama que se consolaría con creces de la pérdida de su difunto esposo en los brazos de un quinto marido para el resto de sus días.

Como conocía el temperamento de mi madre, di en pensar que sería peligroso crearme alguna rivalidad con ella, a sabiendas que, de presentarse un pretendiente, me preferiría a mí. De ese modo comprendí que los placeres del amor, si son saboreados en el misterio, resultan mucho más sabrosos; que el retiro me los proporcionaría en tanta medida al menos como el mundo. Según esta teoría obré, y no tardé en pasar por una santurrona. Dichosa por el exitoso progreso de mi estrategia, no pensaba más que tramar alguna intriga a merced de esa alta reputación de virtud fingida. Un joven que otrora viera en la reja del convento y con el que había vivido cierta aventura...

Al hilo del recuerdo de la historia de la hermana Mónica, que un día me relatara Suzon, su aversión por el claustro, su pasión por el amor, la escena vivida con Veriand, su carácter, la estancia de su madre en el convento, cotejé el retrato de esta monja con el encantador palmito que tenía frente a mi. Y no dudando ya de que era sor Mónica quien tenía a mi lado; la abracé calurosamente.

–Querida Mónica –le dije–, ¿eres tú lo que el cielo me ha enviado?

Apartándose de mis brazos, me miró de hito en hito y me preguntó quién me había dicho del nombre que llevaba en el convento.

–Una muchacha –le dije–, cuya pérdida lloro y que fue confidente de tus secretos.

–¡Ah, Suzon! –exclamó–. ¡me ha traicionado!

–Si, es ella –le respondí–, pero sólo a mi me reveló el secreto y eso a causa de mi importunidad,

–¿Cómo –siguió Mónica–, tú eres el hermano de Suzon? ¡Ah!, ya no tengo nada que reprocharle: si lo hiciera, no tendría más remedio que defenderla contra los reproches que tú le harías a tu vez, dado que también ella me contó lo que le había ocurrido contigo. Querido amigo, no puedo dar crédito...

134

Nos enternecimos pensando en la suerte de Suzon y sor Mónica siguió diciendo:

—Puesto que te ha contado mi aventura con Veriand, es de éste último de quien quiero hablarte.

Mi metamorfosis le había asombrado; me había visto junto a la reja como a una muchacha alegre, vivaracha, coqueta: nuestra larga separación no había borrado su recuerdo. A su regreso, el rumor de mi repentina devoción le consternó tanto que no quiso dar crédito más que a sus ojos. Me vio en la iglesia y el Amor le indicó el camino a seguir, la manera de proceder.

Al alzar la vista sobre los que me rodeaban, distinguí a Veriand; me ruboricé a la vista de un hombre que otrora había sido testigo de mi flaqueza, y aún enrojecí más ante la imposibilidad de ocultarle la disposición de mi corazón, ansioso por sucumbir a los mismos pecados. Los años habían atemperado su fogosidad confiriendo a sus gracias un no se que, de más viril y atractivo. Su imagen encendió mis deseos; todos los días fui arrastrada por ellos hasta el mismo lugar, y todos los días lo vi, invariablemente atento en mi contemplación e invariablemente tierno a mis miradas que le reprochaban su lentitud por manifestar de palabra lo que su corazón sentía; así lo comprendió y, abordándome con timidez, me dijo:

—Mereció vuestra cólera un hombre que, la primera vez que tuvo el placer de veros, os indignó, ¿puede ahora, este hombre, presentarse ante vos? Si el arrepentimiento más veraz puede borrar mi falta, debéis mirarme sin indignación, sin rencor y con la mirada erguida.

Su voz era temblorosa. Le respondí que la probidad de un hombre permite olvidar la imprudencia de su juventud.

—Vos no conocéis todos mis errores —prosiguió—; vuestra bondad me ha perdonado ese delito, pero ahora tengo más necesidad que nunca de esa misma bondad, de esa mirada noble de vuestros ojos.

Guardó silencio tras estas palabras y, aunque capté muy bien sus intenciones, le contesté que no sabía cuál era esa otra ofensa de la que me quería hablar,

—La de adoraros —me dijo deslizando un beso sobre mi mano.

Por mi silencio, comprendió que este delito era del todo excusable; pero temerosa de sincerarme más de la cuenta, me retiré, fascinada por su amor. Estaba convencida de que si Veriand era franco conmigo, hallaría la oportunidad de demostrarlo; entendió del motivo de mi retirada y me dejó partir sonriendo. Oí sus suspiros, que respondí en el fondo de mi corazón. ¿Qué más puedo decirte? Una segunda entrevista le mereció mi ternura y el permiso de pedirme en matrimonio a mi respetada madre. Ésta se negó; yo creí morir de desesperación. Su negativa exasperó aún más nuestro amor, Verland se hundió en un abismo de tristeza. Un paso tan imprudente dio al traste con toda esperanza y para colmo de males, mi madre se convirtió en mi rival. Los elogios que prodigaba a Veriand la delataban. Triste víctima de la devoción y del amor, no osaba preguntarle a mi madre los motivos de haberme negado a un hombre al que ella misma consideraba perfecto, no podía soportar mi dolor; estaba furiosa contra mi madre y contra mí misma, en tanto que mi amor alcanzaba su punto álgido. Veía a Veriand cada día; éramos inseparables. ¿Querréis creer que hasta ese momento no había cedido a sus propuestas, único medio, por otra parte, de hacer entrar a mi madre en razón? Por fin, conmovida por las lágrimas de mi amante, rendida por mi afección, atendí a su instancia de llevarme consigo: concertamos día, hora y la forma de llevar a cabo nuestro plan, cuidamos en extremo los detalles de nuestro encuentro.

No pensaba más que en el placer que Veriand y yo íbamos a disfrutar, El lugar más atroz me parecía un paraíso con tal de que él estuviera junto a mí. Llegó el día de nuestra salida, mas abocada al borde del precipicio, consideraba su profundidad; asustada, retrocedía. Mi propia debilidad me asombraba, indignada por mi cobardía, ora me envalentonaba, ora me acobardaba. Sin embargo, la hora decisiva estaba a punto de llegar: ¿qué partido tomar? ¡Ay de mí! no sabía qué pensar, De pronto una luz iluminó mi espíritu: vislumbré una posibilidad que me permitiría gozar de mi amante y vengarme de mi madre al mismo tiempo. Pero...¿de qué me ha servido tanta prudencia? ¡Para lanzarme al vacío! Quizá hubiera sido más feliz en un país lejano donde pudiera ser yo misma y no atender a más razón que al amor de un marido que me hubiera adorado, así intentaría no ser la esclava de esas apariencias que acabaron por perderme. Pero, ¿a qué engañarme? Sin duda habría llevado en un clima extranjero el mismo corazón, el mismo ardor amoroso, y ello me hubiera perdido como ocurrió aquí, pues los anhelos del alma son inquebrantables y nos hacen esclavos.

Le hice a Veriand la seña convenida, en caso de no poderse llevar a cabo el proyecto: pospuse hasta el día siguiente la explicación de mi retirada. Así fue como nos citamos en la iglesia, me abordó en silencio; su rostro reflejaba el dolor; yo estaba terriblemente acongojada..

—¿Me amáis? —le dije.

—¡Sí, os amo profundamente! —me respondió en un arrebato de desesperación que le dejó sin aliento..

—Veriand —continué—, veo el dolor en vuestros ojos y me destroza el alma; reprochadme, reprochadme mi falta de valentía, que podría separarnos; sin embargo, he hallado un medio, la desesperación me lo ha sugerido, de estar el uno junto al otro. No dudo de la verdad de vuestro amor, pero quiero una prueba, dado que una madre cruel se opone a nuestros deseos. ¡Ay! ¿No os dice, Veriand, el rubor de mi rostro cuál es este medio que quiero emplear?

—Amada Mónica —me dijo estrechándome la mano—, ¿tú amor te hace sentir hoy la necesidad de algo que a menudo te he propuesto yo en vano?

—Si —le respondí—, no lo lamentaréis, para haceros feliz no necesito nada más que una palabra de vuestra boca.

—Hablad. ¿Qué hay que hacer?

—Casaros con mi madre —le dije.

La sorpresa le dejó sin habla; me miró con ojos extraviados.

—¡Mónica! ¿Qué me proponéis? ¡no estáis en vuestro sano juicio!

—Algo de lo que me arrepiento —le observé—. Vuestra frialdad no delata vuestro amor, y vuestra indiferencia arroja luz sobre mi pasión. ¿Cómo he podido pensar en un hombre tan cobarde, tan vil?

—Mónica —prosiguió amargamente—, ¿a qué quieres reducir a tu amante?

—¡Ingrato! —le respondí—, cuando me sobrepongo al horror de verte en los brazos de mi rival, cuando, para entregarme a ti, para gozar del placer de verte, para recibir por fin tus caricias, sacrifico mi orgullo, aniquilo en aras de tu felicidad lo que más adoro, ¡tú tiemblas! ¿Acaso tengo más fuerza que tú? No; pero tú no tienes tanto amor, no eres capaz de tal entrega.

—Es un hecho —me dijo entonces—, tú has vencido, siento vergüenza de mí mismo; y nuestros corazones deben verse libres de pesados remordimientos.

Henchido de gozo por su hombría, prometí recompensarle el día de su boda; tal vez no habría tenido la fuerza de esperar hasta ese momento si la impaciencia de mi madre no hubiera sido tan viva como la mía. Veriand se le había declarado. Dichosa de una conquista que imaginaba haber logrado gracias a sus encantos, se daba prisa por recoger sus frutos: pero él no estaba hecho para ella. La boda se celebró; la alegría que yo demostré por el suceso hizo que mi madre me obsequiara con mil caricias y que yo le respondiera con otras tantas, aunque mucho menos sinceras. Mi corazón se regodeaba, por anticipado, con un doble p...cer: el del amor y el de la venganza. Verland hizo acto de presencia; estaba realmente encantador. Cada uno de sus gestos se animaba con nuevos atractivos, la sonrisa más leve me encantaba; las palabras más insignificantes me enardecían; apenas podía contener mis deseos. En medio del

138

tumulto, halló la ocasión de acercarse a mí para decirme:

—Todo lo que he hecho ha sido por Amor, ¿hará él algo por mi?

Por única respuesta le lancé una mirada. Yo salgo; él huye; entro en mi habitación, él me sigue, me tiendo sobre la cama, él se lanza sobre mí. Dispensadme de hacer aquí el relato de los placeres que gocé; una sola palabra basta para describirlos: tú solo, querido Padre, tú solo has ido más lejos. ¡Cielos!, exclamaba en medio de mi arrebato amoroso, cuán cara va a costarte tu injusticia amigo!

Mi amante era un portento; la hora larga que estuvimos juntos no conoció un momento de pausa. Las fuerzas le fallaban en vano; similar a Anteo, que, en su lucha con Hércules, bastaba con que tocara la tierra para reparar las suyas, mi amante me tocaba y volvía a la carga con mayor vigor aún, era insaciable.

Por todas partes nos buscaban; incluso habían llamado a la puerta de mi habitación. Nos separamos por miedo a que sospecharan; Veriand se dirigió al jardín donde le encontraron tal y como él había previsto. Lo embromaban, se metían con él, fingió un leve aturdimiento; adujo que, para no turbar la fiesta, se había retirado sin decir palabra de su leve mareo. Su aspecto abatido, ocasionado por la fatiga que le había producido la última hora, corroboraba la verosimilitud de la excusa formulada.

Yo restaba convencida de que vendrían a buscarme a mi habitación, confundí a la portera, que había cerrado el agujero de la cerradura, y me puse medio de rodillas ante un crucifijo. Me salió bien la jugada: creyeron que el festejo no había podido apartarme de mis piadosos ejercicios, lo que acrecentó la estima y la veneración por mi persona. Repuesta ya de mis lides amorosas, me reuní con el resto de los invitados para no levantar sospechas, fingiendo prestarme complaciente a sus diversiones, aun cuando ya había disfrutado de la más grata de todas cuantas hay.

Una vez planteado el proyecto de casar a mi madre con mi amante, dispuse todo lo necesario para facilitar nuestros encuentros, previniendo cualquier inoportunidad mientras estuviéramos juntos; simulé una mayor beatería, expresando mi deseo de no ser interrumpida durante mis plegarias; acostumbré a todo el mundo a que no llamaran a mi puerta cuando no vieran la llave puesta. Veriand, por su parte, acostumbró a mi madre a sus ausencias so pretexto de ciertos negocios, y se consolaba en mis brazos. Aunque molestos, no nos disgustaban nuestros solaces; los creía eternos, pero no tardó en caerme la venda de los ojos. Un día encontré a una persona joven que otrora había conocido; le pregunté lo que hacía en la ciudad; me respondió que no tenía compromiso alguno: la tomé como doncella. Pero, querido padre, ¿a ti te voy a engañar? Esta supuesta doncella no era otro que Martín, de quien tu hermana debió de haberte hablado al contarte mi historia. No le había vuelto a ver desde que nos separamos en tan ingrato momento. A pesar del tiempo que había transcurrido aún conservaba su belleza y su amabilidad; un vello rubio y travieso, que yo rasuré por completo, ' cubría apenas su mentón. A los ojos del mundo, Martín era una linda muchacha; a los míos un hombre de precio incalculable.

Había puesto al corriente a Martín de mi enredo con Verland. Dichoso de poseerme, no manifestó celos y yo estaba satisfecha de su docilidad y, sobre todo, de su vigor. Había ordenado el disfrute de mis amores con gran sensatez: Verland para el día; Martín para la noche. Jamás un mortal ha gozado de una felicidad más perfecta: mas el placer es de breve duración; su precio es el del tormento en que nos sumimos tras su pérdida desoladora.

Con su atuendo de camarera, Martín podía pasar por una linda muchacha. El ingrato Veriand (¿por qué acusarle de ingratitud? ¿No estaba yo también en falta, no era mi corazón pecador?), se sintió atraído por mi supuesta doncella y empezó a descuidar a su amante. Compensada aún por los placeres nocturnos, no me había percibido aún de la indiferencia de Verland; poseía el arte de persuadirme en tan alto grado que cualquier excusa de su ausencia me parecía justa. Si le refunfuñaba, una sonrisa suya, un beso, apaciguaban mi cólera. Un día de descanso me lo devolvía más caluroso, Llegó a hacerme creer que, en pro de nuestros placeres se hacían necesarias sus ausencias; lo acepté: Martín lo sustituía en sus treguas y me consolaba con dulces deleites.

Día infausto ayer del que sólo guardo recuerdo para aborrecerlo, ayer era día de descanso para Veriand. Encerrada a solas con Martín, sin otro testigo que el Amor, no atendíamos más que a sus consejos briosos y dulces. Estaba yo tendida sobre la cama, el seno desnudo, las faldas alzadas, las piernas abiertas, y esperaba a que Martín recobrara sus fuerzas. Estaba desnudo y, pasando mi muslo derecho por entre los suyos, me cogía con una mano los pechos y, con la otra, me acariciaba el muslo izquierdo. Mientras sus ojos y su boca estaban probando de reavivar su ardor, Verland, al que no esperábamos, entró de repente y nos sorprendió en esa postura. Cerró la puerta y se acercó corriendo a nosotros sin darnos tiempo a reacciona, presas del pánico como estábamos, a cambiar de situación.

–Mónica –me dijo–, no te censuro tu falta, mas debes guardar para conmigo la misma tolerancia: amo a Jovita (era éste el nombre falso de Martín), me siento lo bastante potente como para satisfaceros a ambas.

Quiso abrazar al pronto a Martín, lo arrancó de mis brazos y, al tocarle, encontró... ¡Qué sorpresa! Sin dejar a Martín, me lanzó una mirada de indignación y, no osando desatar su cólera contra mí, todo su peso cayó sobre la causa inocente. Su amor se trocó en rabia y golpeó con saña a Martín, pero era a mí a quien hería en el lugar más sensible y vulnerable de mi alma. Me lancé entre estos dos rivales.

–Deteneos –le dije a Veriand abrazándole–; respetad su juventud, en nombre de nuestros placeres, en nombre de nuestro amor. Veriand, tened piedad de su debilidad, sed sensible a mis lágrimas y dejad al muchacho.

Se contuvo, pero Martín, que había vuelto ya en si, montó en cólera a su vez y, cogiendo la espada de Verland, se arrojó sobre él. Al ver la situación huí despavorida por una escalera, corrí hasta aquí y ya sabes el resto.

Mónica no pudo contener el llanto al concluir la historia. –¡Señor! –exclamó–, ¿qué va a ser de mí ahora?

–Te aguarda un alto destino, Mónica –le dije–, tranquilízate, tu llanto tal vez carece de motivo así como sus causas. Si es por la pérdida de ciertos goces, otros mayores te resarcirán bien pronto, compensaran ese abismal vacío que sientes en este terrible momento.

Me resultaba imposible esconderla en mi habitación sin ser descubierto, y pensé que la mejor salida seria presentarla en la piscina. No temía prometerle demasiado al asegurarle que los placeres de los que había gozado hasta ese momento no eran más que una sombra de los que la fortuna le tenía reservados. La piscina sería un cobijo divino para una naturaleza como la suya.

–Querido amigo –me dijo ella abrazándome–, no me abandones. ¿Puedo quedarme contigo? Tu consentimiento o tu negativa decidirán mi destino: si te pierdo, la desgracia se cebará en mí, si te ganó mi felicidad se verá colmada hasta su límite.

Le prometí que nunca jamás nos separaríamos.

–Sólo una inquietud me asalta: perdóname una última molestia a un amor del que tú vas a ser el único objeto de por vida.

Comprendí lo que no se atrevía a confesarme. Me brindé a ir a averiguar lo ocurrido con sus amantes y las consecuencias posibles de su huida. Me lo agradeció sobremanera.

Salí con la promesa de volver lo más pronto posible y la dejé sola.

Preguntó en la ciudad si había alguna novedad y comprobé en el vecindario de Veriand que nada del caso se había divulgado. En consecuencia, juzgué que todo el alboroto había terminado con la huida de Mónica. Cuando regresaba al convento, vi al sirviente que acudía a mí corriendo: me anunció que el Padre Andrés le había mandado entregarme una carta y un saco con cien escudos de plata. Al principio, creí que el Padre me iba a encomendar alguna misión. Abrí la carta y leí estas palabras con suma atención:

Vuestras precauciones han fallado; han abierto vuestra habitación y descubierto el tesoro que no habéis querido compartir con vuestros hermanos; se han adueñado de él, han enviado a esa mujer a la piscina. Ya conocéis el carácter de los monjes; huid, Padre Saturnino, huid, libraos de los horrores de una prisión que con probabilidad terminaría con vuestra vida.

P. Andrés

Tras la carta quedé fulminado como por un rayo. Me arrebató la conciencia un abatimiento mortal. ¡Oh, Señor! exclamé, ¿qué será de mí? ¿Debo exponerme a la venganza de los monjes? ¡Huyamos! Pero... ¿dónde huir? ¿Adónde ir? La casa de Ambrosio se me apareció como el refugio más seguro al espanto que me atenazaba. Tomé una valiente decisión, demasiado ufano, tal vez, de que la generosidad del Padre Andrés me hubiera sustraído a la cólera de los monjes.

El exilio del lugar donde quedaban mi gozo y mi felicidad fue muy doloroso. Desgarrado por los remordimientos, abatido por la desesperación, llegué a la casa de Ambrosio. Antoñita estaba sola, mi infortunio le cubrió el corazón. Me ayudó de buen grado y me prestó un traje de Ambrosio para poder ocultar mi verdadera identidad. A la mañana siguiente encaminé mis pasos hacia la ciudad de París, con la esperanza de hallar una ocupación que me compensara de la que acababa de perder de manera brutal e inesperada.

Tras haber sacudido el polvo de los zapatos sobre mi ingrata patria, partí, tal y como hicieran los apóstoles. Y, a pie, bastón en mano, llegué a París. Me creía capaz de desafiar la furia monacal. El dinero del Padre Andrés y el socorro prestado por Antoñita me bastarían por algún tiempo. Mi intención era buscar, primero, un puesto de preceptor, a la espera de que la fortuna me deparara con el tiempo algo mejor. Podrían haberme sido de utilidad algunos contactos que tenía en París, pero ello hubiera extrañado más de un peligro. Albergando la esperanza de un retorno digno, había cambiado mi traje campesino por otro de más categoría. ¡Cuán feliz habría sido si, dejando la casulla, hubiera dejado también esas tendencias! La negra pena que me consumía me llevaba a engaño haciéndome creer que casi había logrado arrancar de cuajo la mala hierba, o que yo triunfaría sobre ella con creces. Incluso había hecho un juramento; pretendía encadenarme con un juramento, a mí, a quien los lazos más respetables no habían podido sujetarme. ¡Que vulnerable es la naturaleza humana!

Hoy bajo un casco, mañana bajo el hábito, Gira al menor viento, cae al primer hálito.

El golpe no fue violento pero caí, porque sólo fue el codazo que me dio una mujerzuela, que me dijo:

—Señor abad, ¿queréis pagarme una ensalada?

—Y también dos —respondí, llevado por un impulso natural que no pude reprimir.

Acudió en mi auxilio la reflexión, aunque demasiado tarde; no podía retroceder, me había metido de lleno en la boca del lobo. Entramos en un callejón oscuro y angosto. Creí una y mil veces que me iba a romper la crisma mientras subía la escalera tortuosa cuyos peldaños resbaladizos y desiguales me obligaban a trastabillar a cada paso. Mi doncella me sujetaba de la mano. Confesaré que, no habiéndome encontrado jamás en situación parecida, me asaltaba una especie de temor que a mi guía, sin embargo, le pareció de buen agüero: se habría desternillado de risa si hubiera sabido mi identidad. Llegamos por fin a las puertas del templo. Llamamos, una vieja abrió la puerta entornándola ligeramente.

—Querido mío —me dijo—, hay gente, espera un momento, sube más arriba.

Subir más arriba no era tarea fácil, a menos que se tuviera intención de subir al cielo. Una portezuela apareció de repente bajo mi mano, se abrió por sí sola. Iba a retirarme, medroso de encontrar a alguien y de levantar así sospechas sobre mi probidad. El olor me tranquilizó, era...

Abandonado a mí mismo en aquel lugar espantoso en los límites del mundo, en un país remoto con gentes desconocidas, fui presa de un súbito terror. Los peligros que podía correr aparecieron claros ante mis ojos. Aprovechemos, me dije para mis adentros, este momento de lucidez, huyamos. Pero me detuvo algo irrefrenable, se me antojaba que una mar infinita se extendía ante mí impidiéndome alcanzar la orilla, ora decidía arrojarme a ella, ora retrocedía. ¿Ha grabado el cielo en nuestros corazones el presentimiento de lo que va a sucedernos? Sí, sin lugar a dudas y así lo sentía. En ese mismo momento, se abre la puerta fatal, me llaman, bajo, desgraciado de mí, corro a mi perdición, pero ¡qué alegría tan deliciosa va a precederla! ¡no daba crédito!

Bajo el reflejo de una luz vacilante de una lámpara entré con timidez, me siento, en silencio, apoyo el codo sobre una mesa que se tambalea, me cubro la vista con las manos como si quisiera huir de los pensamientos que me asaltan. Una limosnera de aspecto diabólico avanza hacia mí. Mi semblante afligido sorprende a las sacerdotisas del templo, la vieja se acerca para interesarse por ello, la rechazo con violencia, ella se lamenta.

–Dejad, señora –le dice una joven–, debe de estar sufriendo mucho...

El timbre de su voz, que no me resulta desconocido del todo, me golpea el corazón. Tiemblo y, por el temor de alzar los ojos hacia el lugar de donde procede la voz, los cierro y me refugio sólo en la agitación que ha despertado en mi, pero pronto, reprochándome mi indiferencia, quiero esclarecer el enigma, vuelvo a abrir los ojos, me levanto, me acerco... ¡Señor! es... ¡Suzon! Sus rasgos, aunque transformados por los años, estaban demasiado clavados en mi corazón como para no reconocerlos. Caigo en sus brazos, mis ojos se llenan de lágrimas, mi alma esta a flor de piel.

–Querida hermana –le digo con voz alterada–, ¿no reconoces a tu amado hermano?

Lanza un grito, cae desvanecida.

La vieja, sorprendida, corre al auxilio de Suzon. La rechazo y uno mis labios a los suyos pues no necesito más que el fuego de mis besos para devolverle la vida. La abrazo contra mi pecho, riego su rostro con mis lágrimas, abre los ojos húmedos por el llanto copioso.

—Déjame, Saturnino —me dice—, deja a esta infeliz. —Hermana querida —exclamé—, ¿te inspira horror ver a tu hermano? ¿Rechazas sus besos, rechazas sus caricias?

Ella cede, yo me arrojo sobre su cuerpo. Que se permita imitar aquí ese sabio juego que consistió en pintar el sacrificio de Ifigenia agotando todos los trazos que caracterizan al dolor más profundo en el rostro de los asistentes y cubriendo, sin embargo, el de Agamenón con un simple velo de aflicción, con tal habilidad, que fueran los espectadores quienes imaginaran a su albedrío cuál seria la desesperación de un padre que ve derramar la sangre de su hija, que asiste a su inmolación. Os dejo, caro lector, el placer de imaginar, pero es a vosotros a los que me dirijo, a los que habéis sufrido los reveses del amor y que, al cabo de mucho tiempo, habéis visto vuestra pasión coronada por el goce de la persona amada.

No olvidéis vuestro deleite, aguzad vuestra fantasía hasta el infinito y, con todo, siempre estará por debajo de lo que yo viví. Pero ¿qué demonio envidioso de mi actual serenidad te acosa con un recuerdo que riego con lágrimas de sangre?

¡Ay, acabemos, no soporto mi dolor!

Antes de percibir que la noche había desaparecido llegó el día. Había echado al olvido mis penas, el mundo entero en brazos de Suzon. —No nos separaremos jamás, querido hermano —me decía—. ¿Dónde encontrarías tú una muchacha más dulce? ¿Dónde encontraría yo un amante más apasionado?

Le juraba vivir siempre para ella, se lo juraba y ¡oh, maldición! íbamos a separarnos para siempre jamás. La tormenta estaba sobre nuestras cabezas, el espejismo del goce la hurtaba a nuestros ojos.

Me acogió con los signos más vivos de alegría pero sensible a mis reproches. La dicha reapareció en su rostro, dicha que se le contagió también a la vieja, pues le dimos dinero para que nos preparara la cena. Habría dado hasta mi sangre, había encontrado a Suzon, era esa la máxima riqueza a la que esperaba en la vida.

Tenía a Suzon entre mis brazos, mientras la vieja preparaba la cena. No habíamos aún acumulado fuerzas para abrir la boca y preguntarnos qué suerte de aventuras nos habían reunido en un lugar tan alejado de nuestra patria, nos mirábamos y los ojos eran los únicos intérpretes de nuestras almas, vertían lágrimas de alegría y tristeza, nos abandonábamos tan sólo a estas dos pasiones. Nuestro corazón estaba tan colmado, tan enajenado nuestro espíritu, que la lengua parecía como anudada. Sólo atinábamos a pronunciar algunas palabras sueltas. Todo nos conducía hasta la idea de la felicidad de estar juntos por siempre.

Fui yo quien por fin rompió el silencio.

–¡Suzon –exclamé–, mi querida Suzon! ¡te he encontrado aquí! ¡Destino feliz el que te ha devuelto a mis brazos! Pero, en semejante lugar...

–Estás ante una muchacha desgraciada –me respondió con el rostro demudado–, una muchacha que ha probado todos los vaivenes de la fortuna, siendo objeto de su furia casi siempre, y forzada a vivir en un libertinaje que su razón desaprueba, que su corazón detesta, pero al que la necesidad obliga. Tu impaciencia, ya me he dado cuenta, exige el relato de mi historia infortunada. ¿Puedo llamar de otro modo a la vida que he llevado desde el día en que te perdí? Menos afectada por la vergüenza de revelarte mis descarríos que por el placer de desahogar mis penas contigo, voy a pasar a confesártelo todo, te lo diré sin rodeos, eres tú quien me los provocó, aunque mi corazón anduvo a medias en ello, él fue el verdadero causante del mal, él creó el abismo donde me sumí. ¿Recuerdas aquel tiempo feliz en que tú me describías el cándido cuadro de tu creciente pasión. Empecé a adorarte desde ese mismo momento. Al contarte las aventuras de Mónica, al descubrirte nuestros más íntimos secretos, deseaba inflamarse, quería instruirte y contemplaba gustosa el efecto de mis relatos. Era testigo de tus amoríos con la señora de Dinville y tus caricias a ella eran otras tantas puñaladas para mi. Cuando te arras-

147

traba hasta mi habitación, me devoraba un fuego que tú no podías extinguir. Aquí dio comienzo la época de mis infortunios. Tú has ignorado siempre el origen de ese espantoso ruido que oímos, era el abad Fillot, ese ser perverso vomitado por los infiernos, nacido para el suplicio de mis días.

Había alimentado por mí un amor que anhelaba satisfacer a cualquier precio y escogió la noche para llevar a cabo su plan, se escondió en uno de los flancos de la cama y aprovechó tu ausencia para ponerse en tu lugar. ¡Ay! Gozó de una miserable que el espanto había desmayado, e hizo de mí lo que quiso. Reanimada por el placer y engañada por mi ardor, creí estar recibiéndolo de mi querido Saturnino en forma de cálidas embestidas viriles.

Colmé de placeres a un monstruo al que quise matar de reproches una vez lo reconcí. Con caricias trató de amansarme, pero yo le rechacé con asco•y él amenazó con revelar a la señora de Dinville lo que yo había hecho contigo. El canalla empleaba contra mí las mismas armas que yo hubiera podido emplear contra él, era el ser más mezquino que jamás he conocido.

Lo que no pudo obtener con sus arrebatos lo obtuvo con amenazas. Así fue como me sometí por completo a un hombre al que detestaba. ¡Y el destino me arrancaba de los brazos del que amaba!, cuán cruel...

No tardé en advertir las amargas consecuencias de mi imprudencia. Escondí mi vergüenza hasta que me fue posible, pero comprendí que un silencio demasiado pertinaz me hubiera traicionado. Había logrado ahuyentar al abad Fillot, que se consolaba en los brazos de la señora de Dinville. La necesidad me obligó a acordarme de él. Le confesé mi estado, fingió preocupación y se ofreció a llevarme con él a París, prometiéndome el más dichoso de los destinos, añadió que, a cambio de sus servicios, no pedía nada más que el placer de prestármelos. Yo no ansiaba más que hallarme en un lugar donde pudiera deshacerme de mi bulto, pensando no utilizarle después más que para colocarme al servicio de alguna dama. Me dejaba convencer por sus promesas, consentí en seguirle y partimos juntos, disfrazada yo de abad.

Por el camino tuvo mil atenciones conmigo. ¡Cómo ocultaba el traidor la perfidia de su corazón bajo apariencias engañosas! Las sacudidas de la carroza burlaron mis cálculos, di a luz a una legua de París el fruto odioso del amor de un ser despreciable. Todo el mundo comentaba el prodigio entre risas y miradas burlonas. Mi indigno compañero de viaje se esfumó, abandonándome al dolor y la indigencia más absoluta. Una dama caritativa se apiadó de mi y me llevó en una carroza hasta París, al hospital. Me salvó de las garras de la muerte, pero me arrojó a las de la miseria cruel. De no haber tropezado con otra pobre desgraciada como yo, no hubiera tardado nada en sentir sus lacerantes efectos. La penuria me fue empujando pendiente abajo y cada vez me resultó más difícil integrarme fuera de la normalidad.

No me pidas más explicaciones. La vida de Suzon no ha sido más que una cadena alternada de placer y tristeza. Si el placer se deja sentir alguna vez en mi corazón es tan sólo para teñir el fondo de tristeza que lo corroe. ¿Cesará esta tristeza? ¡Ah!, te he encontrado, no debo desesperar. ¿Y tú? ¿Has dejado el convento? ¿Qué te ha traído a París, querido hermano?

—Una desgracia similar a la tuya —le respondí— que ha provocado tu mejor amiga.

—¡Mi mejor amiga! —exclamó suspirando—, ¿Es que me queda alguna en el mundo? ¡Sólo puede tratarse de la hermana Mónica!

—Ella misma —respondí—, pero la historia es demasiado larga. Cenemos.

Hice junto a Suzon la comida más deliciosa de mi vida. El deseo de estar a solas con ella, y por su parte, el de saber de mis vicisitudes, nos levantó pronto de la mesa. Nos retiramos a su habitación, donde, sin testigos, sobre una cama, mueble digno del lugar en que nos encontrábamos y que nunca había sentido el peso de dos amantes más tiernos, con Suzon sobre mis rodillas y mi rostro pegado al suyo, pasé a contarle mis correrías desde que saliera de casa de Ambrosio hasta el momento presente.

149

–¿Así que no soy tu hermana? –exclamó cuando hubo terminado.

–No lo lamentes –le dije–, eso es sólo un atributo que da la sangre, pero rara vez el corazón. Si no eres mi hermana, siempre serás el ídolo de mi corazón. Alma querida –continué estrechándola entre mis brazos–, olvidemos nuestras miserias y empecemos a contar los días de nuestra vida desde la hora en que nos encontramos, tenemos toda una vida por delante.

Mientras le hablaba, besaba su cuello, ya tenía mi mano entre sus muslos cuando:

–¡Detente! –exclamó zafándose de mis brazos–. ¡Detente!

–¡Malvada! –grité–. ¿Qué debo agradecerle a la fortuna si repugnas los testimonios de mi amor?

–Sofocad –respondió– unos deseos que no podría colmar sin caer en el crimen, supera tu pasión, sigue mi ejemplo.

–Suzon –repliqué–. ¡No sientes amor por mí si eres capaz de aconsejarme que ahuyente el que yo siento por ti! ¡Y en qué momento! ¡Cuando nada se opone a nuestra felicidad!

–¿Que nada se opone a nuestra felicidad? –contestó ¡Ojalá fuera así!

De pronto la vi anegada en llanto, la conminé a que me explicara el motivo.

–¿Querrías –me dijo– compartir conmigo el nefando precio de mi vida licenciosa? Y aunque tú lo quisieras, ¿sería yo tan cruel como para consentirlo?

–¿Crees –respondí– que puede detenerme una razón tan fútil? Seria capaz de compartir la muerte con mi Suzon, ¿cómo no iba a estar dispuesto entonces a compartir sus desgracias? ¡te adoro!

La volqué sobre el lecho de inmediato, para demostrarle que no sentía ningún miedo.

–¡Ah! –exclamó–, ¡Estás labrando tu desgracia, Saturnino!

–Labraré mi desgracia –le dije, enajenado por el amor–, pero será en tus brazos y contigo.

Ella cede, yo empujo. Permítaseme emular a aquel sabio griego que, para describir el sacrificio de Ifigenia , apuró primero sobre el rostro de los asistentes todos los rasgos que caracterizan el más profundo dolor y cubrió después con un velo el de Agamenón, dejando hábilmente a los espectadores el cuidado de imaginar qué signos podría manifestar la desesperación de un padre amante que ve derramar su sangre, que ve inmolar a su hija. Querido lector, también yo os dejo el placer de imaginar, pero es a vosotros a quien me dirijo, a los que habéis experimentado las vicisitudes del amor y que, tras largo tiempo, habéis visto vuestra pasión coronada por el goce del objeto amado.

Aguijonead vuestra imaginación aún más lejos y acordáos de vuestros placeres, si os es posible, que siempre se situará por debajo de mis delicias. Pero, ¿qué demonio celoso de mi sosiego me presenta sin cesar un recuerdo que mis ojos riegan con lágrimas de sangre? ¡Ah!, acabemos, sucumbo al dolor.

Llegó el día antes de que nos diéramos cuenta de que la noche se había desvanecido. En los brazos de Suzon, había olvidado mis penas, el universo entero, no había nada en el mundo que mereciera tanto la pena.

–Hermano querido, no nos separaremos jamás, me decía. ¿Dónde encontrarás tú a una muchacha más dulce y tierna? ¿Dónde encontraré yo a un amante más apasionado y brioso?

Le juraba vivir siempre para ella, lo juraba, ¡oh, tristeza!; y nos íbamos a separar para no volvernos a ver nunca más. La tempestad se cernía sobre nuestras cabezas, más el encanto de la ilusión la escondía a nuestros ojos ciegos de pasión y ávidos de amor.

–Poneos a salvo, Suzon –vino a decirnos una muchacha asustada–, poneos a salvo, huid por la escalera trasera.

Asustados, tratamos de levantarnos: era demasiado tarde. Un feroz esbirro entró justo en el momento en que íbamos a levantarnos. Suzon, enloquecida, se arrojó a mis brazos; a pesar de mi empeño, me la arrebató, arrastrándola. Al ver la escena, la sangre se me subió a la cabeza; la rabia me dio fuerza, la desesperación me hizo invencible y me cegó de cólera.

Un morillo en el que estaba apoyado se convirtió en mis manos en un arma mortal. Me lancé contra el esbirro. Detente, desgraciado Saturnino, ya no es hora, demasiado tarde; el raptor de Suzon cae a mis pies. Se echa sobre mi, me defiendo, sucumbo, me han atrapado como a un miserable. Me ligan las manos. Apenas me dejan libertad para tomar mis ropas.

–¡Adiós, Suzon! –exclamé tendiéndole los brazos–; adiós, hermana, adiós.

Me arrastraron como a una alimaña por la escalera; pierdo el conocimiento debido al intenso dolor provocado por los golpes de la cabeza contra los peldaños.

¿Debo ya terminar el relato de mis desgracias? ¡Ah, lector! Si vuestro corazón es sensible, suspended vuestra curiosidad, contentaos con compadecerme. Pero, ¿es que el sufrimiento prevalecerá siempre en mi alma sobre la felicidad? ¿No he derramado ya bastantes lágrimas? He llegado a puerto y todavía sufro por los peligros del naufragio que me lleva a mi fin.

Leed y veréis las tristes consecuencias de mi libertinaje cruel. Felices seréis si no los pagáis más caro que yo.

Cuando recobré la conciencia, me hallé en una miserable cama, en medio de un hospital. Pregunté dónde estaba.

–En Biciétre ! –me dijeron.

152

–¡En Biciétre! –exclamé–. ¡Cielos! ¡En Biciétre!

Me dejó paralizado el dolor, la fiebre hizo presa en mí; me había recobrado para volver a caer enfermo, y esta vez de una enfermedad más
cruel: la viruela. Sin rechistar recibí ese nuevo castigo del cielo. Suzon,
me dije para mis adentros, no me quejaría de mi suerte si, al menos, tú
no sufrieras la misma desdicha que yo padezco.

A tal grado llegó mi mal que, para ahuyentarlo, se recurrió a medidas
drásticas: me anunciaron que debía someterme a una operación. Os aho-
rro este doloroso espectáculo. ¡Qué podría contaros! Caí en un estado de
debilidad extremo, y di en pensar que eran los últimos momentos de mi
vida. ¡Ojalá hubiera sido mi fin!

El dolor, que primero había provocado mi desmayo, después me hizo
volver en mi. Me llevé la mano adonde el dolor era más vivo. ¡Ah! ¡Ya no
soy un hombre! Lancé un grito tan intenso que pudo oírse en todos los
rincones de la casa. Pero no tardé en recobrarme y como Job en su ester-
colero, atribulado pero sumiso a las órdenes del cielo, exclamé: Deus
dederat, Deus abstulit.

Mi mayor anhelo era morir. Había perdido la capacidad de gozar de
la vida; aniquilarme era el fin de todos mis deseos, hubiera querido ocultarme a mí mismo, por los siglos de los siglos, lo que había sido, y no
podía pensar sin horror en lo que era, un ser mutilado.

Mira, me decía en el fondo de mi corazón, mira, este desgraciado de
Saturnino, un hombre que fue tan querido de las mujeres, ya no lo es;
un golpe cruel acaba de arrancarle la mejor parte de sí mismo; era un
héroe, ya no lo es... Muérete, desgraciado, muérete. ¿Podrás sobrevivir a
esta pérdida? ¡No eres más que un eunuco, la vergüenza de los hombres!

Desgraciadamente la muerte fue sorda a mis lamentos, a mis gritos;
la salud retornó, me restablecí; pero mi debilidad hacia pensar que, en
prisión, no obtendrían de mí los servicios que habrían esperado y a los
que, en principio, me habían destinado. Me pusieron en libertad dadas
las circunstancias.

—Estoy libre —le respondí al superior que me lo anunciaba—. ¡Ay de mí, de qué va a servirme esta terrible libertad! En la cruel situación en la que me encuentro, es el presente más funesto que podéis hacerme. Pero, señor, ¿sería mucho atrevimiento preguntaros por la suerte de una joven que probablemente trajeron el mismo día que a mí? ¡ por favor, no me oculten la suerte de tal muchacha!

Es mejor que la vuestra —me contestaron, bruscamente—; murió durante las curas, ya no sufrirá más desdichas la infeliz.

—¡Murió! —exclamé aniquilado por este último golpe—. ¡Suzon ha muerto! ¡Oh, cielos! ¡Yo aún vivo no podré vivir sin ella!

Habría terminado con mi vida en ese mismo momento si no hubieran detenido la razón de mi desesperación. Me libraron de mi propio furor, y me pusieron en vías de aprovechar el permiso que me habían dado, es decir en la puerta de la calle.

Por unos instantes me quedé paralizado sin saber qué hacer ; sólo mis ojos, que vertían torrentes de lágrimas, testimoniaban que aún vivía. Mi desesperanza y mi furia habían llegado al paroxismo más absoluto. Vestido con un miserable hábito, teniendo apenas dinero para vivir un día y sin saber adónde ir, me abandoné en manos de la Providencia. Me puse en camino hacia París, distinguí a lo lejos los muros de los cartujos; la profunda soledad que reinaba iluminó mi espíritu como un rayo de luz. ¡Felices mortales!, exclamé, pues vivían en semejante retiro al abrigo de las furias y vicisitudes de la fortuna, vuestros corazones puros e inocentes desconocen los horrores que desgarran el mío. La idea de su felicidad me inspira el deseo de compartirla. Fui a arrojarme a los pies del superior; le conté mis desdichas una a una.

—¡Oh, hijo mío! —me dijo abrazándome bondadosamente—, load al Señor: os ha reservado este puerto tras tantos naufragios. Vivid, y vivid feliz, si es posible.

Carecí de empleo por algún tiempo, pero no tardaron mucho en darme uno. Ascendí gradualmente hasta el puesto de portero, y es bajo ese titulo que me habéis conocido.

Es así como mi corazón se ha ido fortificando con el odio hacia el mundo; espero la muerte sin temerla ni desearla, y pretendo que cuando me excluya del número de los vivos, se grabe en letras de oro sobre mi tumba:

Yace aquí Saturnino,
el hombre,
gran jodedor, jodido.

❤ ❤ ❤ ❤ ❤ ❤ ❤ ❤ ❤ ❤ ❤ ❤ ❤ ❤ ❤ ❤ ❤ ❤

FIN

❤ ❤ ❤ ❤ ❤ ❤ ❤ ❤ ❤ ❤ ❤ ❤ ❤ ❤ ❤ ❤ ❤ ❤